Le dernier voyage du *Mandeville*

Catalogage avant publication de Bibliothèque et Archives nationales du Québec et Bibliothèque et Archives Canada

Legault, Matthieu, 1983-
Leonardo
Sommaire: t. 2. Le dernier voyage du *Mandeville*.
Pour les jeunes.
ISBN 978-2-89585-090-8 (v. 2)
1. Léonard, de Vinci, 1452-1519 - Romans, nouvelles, etc. pour la jeunesse.
I. Titre. II. Titre: t. 2. Le dernier voyage du Mandeville.
PS8623.E466L46 2011 jC843'.6 C2011-941100-8
PS9623.E466L46 2011

Illustration : Sybiline

Les Éditeurs réunis bénéficient du soutien financier de la SODEC
et du Programme de crédit d'impôt du gouvernement du Québec.

Nous remercions le Conseil des Arts du Canada
de l'aide accordée à notre programme de publication.

Nous reconnaissons l'aide financière du gouvernement du Canada
par l'entremise du Fonds du livre du Canada pour nos activités d'édition.

Édition :
LES ÉDITEURS RÉUNIS
www.lesediteursreunis.com

Distribution au Canada :
PROLOGUE
www.prologue.ca

Distribution en Europe :
DNM
www.librairieduquebec.fr

Suivez Les Éditeurs réunis sur Facebook.

Imprimé au Canada

Dépôt légal : 2011
Bibliothèque et Archives nationales du Québec
Bibliothèque nationale du Canada
Bibliothèque nationale de France

Matthieu Legault

Le dernier voyage du *Mandeville*

LES ÉDITEURS RÉUNIS

Dans la série
LEONARDO

Tome 1 : L'atelier du grand Verrocchio
Tome 2 : Le dernier voyage du *Mandeville*
Tome 3 : La confrérie de la Table d'émeraude

À paraître :
Tome 4 : Les machines de fin du monde

À ma famille,
pour son aide, son soutien
et ses encouragements.

1
Portes ouvertes

Florence, Italie, 1468

Comme chaque année, l'atelier du légendaire Andrea Verrocchio ouvrait ses portes au public. Cette année, le maître avait décidé de faire les choses en grand pour fêter les douze ans de l'établissement. Il avait donc préparé, pour ses invités, différents ateliers présentés par ses plus brillants élèves. Les visiteurs allaient ainsi en connaître un peu plus sur chacune des nombreuses professions exercées à l'atelier. La journée se terminerait par un repas somptueux.

Andrea parcourait la cour intérieure d'un pas tranquille. Il inspectait soigneusement les nombreuses tables disposées à l'extérieur pour l'occasion. Tout devait être parfait, car l'événement des portes ouvertes représentait un excellent moyen de trouver de nouveaux clients. Le grand maître n'accepterait donc aucune erreur de la part de son personnel.

Aujourd'hui, même Dame Nature avait décidé de collaborer : le ciel était sans nuages et la température, clémente. Le contraire aurait été problématique, puisque la salle à manger ne pouvait accueillir tous les invités.

Au loin, près du bâtiment où se trouvaient les chambres des étudiants, se tenait Vito. Celui-ci s'entretenait avec deux individus à l'air sévère. Ces hommes portaient de resplendissantes armures, constituées d'un casque, d'une courte cuirasse de fer et d'épaulettes dans des tons de rouge. Leurs regards de glace indiquaient clairement qu'ils n'étaient pas venus pour s'amuser.

Vito Pazzi, ancien maraudeur, avait récemment décroché un poste à long terme à l'atelier. Le grand maître avait finalement compris que le garçon s'avérait un atout indispensable. Il avait maintes fois prouvé sa valeur. Le garçon d'origine irlandaise était maintenant l'homme à tout faire de l'établissement.

Andrea détourna les yeux du groupe de Vito pour regarder la section du bâtiment où se donnaient les cours de poterie. Cette division avait récemment été reconstruite, puisqu'elle avait brûlé par la faute d'Alberto de Corleone, le saboteur. En ce moment même, Sandro Botticelli y présentait un atelier sur la fabrication des poteries. Le peintre de talent s'était montré très peu enthousiaste à l'idée d'effectuer cette tâche. Sandro avait fait savoir qu'il aurait espéré présenter l'atelier dédié à la peinture à l'huile, mais il était évident que le jeune Lorenzo di Credi était plus qualifié pour ce travail. Si Sandro voulait poursuivre son apprentissage à l'atelier, il devait prendre son mal en patience. Les élèves venaient tous de faire leur sixième et dernière présentation. Bientôt, elle serait terminée et les visiteurs allaient pouvoir se ruer à l'extérieur pour s'empiffrer d'un repas bien arrosé.

Vito salua les deux hommes avec qui il s'était longuement entretenu puis s'approcha du propriétaire des lieux. Le garçon arborait son sourire habituel. Ce jour-là, il avait revêtu un élégant pourpoint rouge vin et avait chaussé de longues bottes noires en cuir de daim. Le jeune Pazzi avait bien changé depuis qu'il fréquentait sa belle Déborah.

— Qui sont ces hommes ? interrogea Andrea Verrocchio.

— Des membres de la garde personnelle de Laurent de Médicis. Ils sont plus connus sous le nom de l'escouade des Aigles.

— Je n'en ai jamais entendu parler, avoua le grand maître en observant les deux individus. Décidément, vous êtes bien informé, Vito.

— Ils procèdent à une inspection des lieux. Actuellement, quatre de leurs confrères parcourent l'atelier. Au total, ils sont sept si on compte celui qu'ils ont posté sur le toit du bâtiment des chambres.

— Mon cher, rien ne vous échappe, déclara Andrea en souriant.

L'ex-maraudeur haussa les épaules. Sa spécialité n'était-elle pas de tout savoir ?

— Les gens autour de Laurent le Magnifique sont bien nerveux depuis quelque temps, remarqua Vito sur un ton sérieux. Mais ils ont des raisons de l'être.

— Pourquoi cela ?

— Laurent de Médicis ne se fait pas que des amis à Florence. Par exemple, la maison des Pazzi ne lui est pas très favorable. Une guerre se prépare.

Les Pazzi étaient une famille aristocratique particulièrement influente à Florence. L'arrivée au pouvoir de Laurent ne les avait pas favorisés jusqu'à présent. Les deux familles n'avaient que mépris l'une pour l'autre depuis longtemps.

— J'en conclus donc que Laurent devrait nous faire le plaisir d'une visite bientôt ? questionna Andrea pour changer de sujet.

— J'en mettrais ma main au feu, monsieur, répondit Vito en souriant.

Leonardo da Vinci avait été chargé de présenter l'atelier de fonderie de bronze. Après avoir expliqué en détail les étapes concernant le moulage et le coulage du bronze, le jeune inventeur amena son groupe dans la salle de séchage. Habituellement, on entreposait dans cette pièce les moules d'argile pour qu'ils sèchent à l'abri du soleil. Cependant, aujourd'hui, il ne s'y trouvait qu'un seul objet. Ce dernier, imposant, avait été recouvert d'un drap blanc aux motifs variés.

Le groupe, formé en grande partie de religieux, suivait Leonardo de près. Celui-ci se tourna vers les visiteurs avant de déposer sa main sur le drap qui dissimulait l'objet de forme arrondie. Puis il s'exclama, en tirant sur le drap avec énergie :

— Je vous présente la sphère qui chapeautera la coupole de la cathédrale Santa Maria del Fiore !

Les visiteurs restèrent bouche bée devant la monumentale pièce de bronze mesurant plus de six mètres de diamètre. Au sommet de la splendide réalisation, une croix en or massif avait été disposée.

— Cette sphère pèse 4 360 livres, confia le jeune inventeur, soit près de deux tonnes.

— Ce bon Andrea ne semble pas pressé de l'installer, se moqua l'un des religieux.

Cette remarque était revenue à chacune des représentations ; il faut dire que la sphère avait fait beaucoup parler d'elle à la suite des événements mouvementés des dernières semaines. Leonardo sentit qu'il perdait l'attention de son groupe. Les invités s'échangèrent des commentaires que l'inventeur ne parvint à saisir qu'à moitié.

Leonardo se mit à songer à la publication de ses premiers dessins ; ceux-ci figuraient dans l'ouvrage médical du professeur Gustavio Calvino. En vue de l'impression, il avait dû reproduire l'ensemble de ses œuvres en utilisant la technique de la xylographie, qui consistait à graver des illustrations sur des tablettes de bois. De cette manière, ses dessins pouvaient être reproduits à volonté par estampage. Tout ce travail lui avait permis d'acquérir beaucoup d'expérience en gravure. Si sa première publication n'avait pas attiré l'attention, ce n'avait pas été le cas de l'écrasement de l'Aves 3. Par chance, cette fois-ci, aucune sculpture de valeur n'avait été détruite.

Leonardo délaissa le cours de ses réflexions pour prendre la défense du maître :

— Étant donné qu'à l'heure actuelle la moitié du personnel de l'atelier est employé aux réparations des églises de Florence, il est naturel que certains travaux aient pris un peu de retard. Toutefois, une équipe prépare déjà l'installation de la sphère.

— Est-ce vrai que c'est vous qui avez capturé le saboteur ? interrogea l'un des hommes.

Le silence tomba sur l'assistance.

— Oui, avec l'aide de Sandro Botticelli, spécifia Leonardo, légèrement déstabilisé par la question.

— Le cuisinier, c'est bien ça ? interrogea l'un des invités.

Leonardo était découragé de constater à quel point l'information pouvait être déformée à Florence.

— Sandro Botticelli, corrigea-t-il, est l'un des plus talentueux peintres de l'atelier.

— Vous faites sûrement erreur, reprit le même homme. Vous devez vouloir parler du jeune Lorenzo di Credi, le jeune élève prodige !

Décidément, cette présentation promettait d'être pénible…

Sandro passa sa main dans sa chevelure blonde et bouclée en soupirant. Les questions que lui posaient ses invités étaient vraiment insignifiantes. Et d'après lui, le fait qu'il n'en connaissait pas les réponses n'avait aucune importance.

— Excellente question ! mentit-il en souriant. Malheureusement, si j'y répondais, cela briserait toute la magie. Passons à l'entreposage de toutes ces poteries. Si vous voulez bien me suivre, bonnes gens !

Sandro entra dans une salle où se trouvaient six grandes étagères de rangement. Celles-ci occupaient toute la longueur de la pièce des deux côtés.

— Après l'incendie qui a ravagé totalement cette pièce, commença Sandro sans grand emballement, Andrea Verrocchio a sérieusement songé à agrandir cette section de l'atelier. Malheureusement, c'est exactement ce qu'il a fait.

Une grosse femme dans une robe beaucoup trop serrée pour elle le fusilla du regard.

— Monsieur Bruschetta ! s'écria-t-elle. Pour quelle raison dites-vous cela ?

Sandro fronça les sourcils, plus surpris qu'insulté.

— Tout d'abord, je m'appelle Botticelli et non pas Bruschetta, rectifia le jeune peintre.

Le groupe semblait fort amusé par la méprise de la dame. « Décidément, les portes ouvertes attirent toutes sortes de personnes », songea Sandro.

— Ensuite, à mon avis, poursuivit-il, la confection de poteries est l'une des plus ennuyeuses professions artistiques. Il n'y a rien de prestigieux à confectionner des assiettes et des bols. Les assiettes, on ne les admire pas, on les recouvre de nourriture !

— Il serait toujours possible de les accrocher aux murs ! rétorqua la dame pour contredire Botticelli.

— Quel drôle d'idée ! lança le jeune peintre en perdant son calme. Il s'agit d'un concept complètement ridicule.

Une trompette retentit dans la cour, annonçant la fin des présentations. Sandro claqua des mains en affichant un sourire ravi. Sans un mot de plus, il quitta la pièce en laissant son groupe derrière lui.

Leonardo traversait la cour intérieure lorsqu'il croisa Sandro. L'inventeur se rendait à l'atelier de peinture pour y retrouver Lorenzo di Credi. Botticelli semblait fort pressé de regagner sa chambre, comme d'habitude. Ce n'était un secret pour personne que Sandro préférait travailler à ses toiles dans le confort de son antre.

— Da Vinci, comment s'est passé ta présentation ? interrogea Botticelli d'un air fatigué.

Suspicieux, Leonardo fronça les sourcils. Sandro ne lui adressait que très rarement la parole.

— Sincèrement, c'était particulièrement ennuyeux, répondit-il.

— C'est bien ce que je croyais, dit Botticelli. Ce l'était tout aussi pour moi. Par contre, de mon côté, ce n'était pas ma faute. La poterie étant une profession sans intérêt, il est donc tout à fait naturel que ma présentation ait été d'un ennui mortel.

— D'accord, alors c'est uniquement de la faute à la poterie ; ça n'a rien à voir avec ton piètre talent de présentateur.

— Tu as tout compris, déclara Botticelli avec un sourire malin. Tu n'es pas si lent de la caboche. Je me demande bien pourquoi tout le monde dit le contraire.

Sandro administra un coup d'épaule à Leonardo avant de disparaître par la porte du bâtiment des chambres. L'inventeur devait reconnaître que Sandro était beaucoup plus adroit au maniement du sarcasme que lui.

En passant près des tables dressées pour le repas, auxquelles les invités commençaient à prendre place, Leonardo constata qu'Andrea n'avait rien laissé au hasard ; la soirée s'annonçait prometteuse. Le maître de l'atelier avait même fait venir des tonneaux de vin en provenance du Portugal pour remplacer sa piquette habituelle. Leonardo entra dans la pièce vouée à la peinture à l'huile au moment où les derniers visiteurs en sortaient. Leurs visages rayonnants prouvaient que la présentation de Lorenzo les avait tous éblouis. Pour l'occasion, la salle avait été tapissée des plus belles réalisations des étudiants. Une étonnante collection, dont plusieurs pièces étaient l'œuvre de Sandro, de Lorenzo et de Pietro. Il n'y en avait aucune de Leonardo, car ce dernier n'avait encore rien peint de vraiment valable.

— Ta présentation semble s'être bien déroulée, Lorenzo, commenta l'inventeur en souriant.

Lorenzo était assis devant une large toile. Il peignait les trois Grâces. Dans la mythologie grecque, elles étaient l'évocation parfaite de la vie dans toute sa splendeur. Euphrosyne, Thalie et Aglaé restaient éternellement belles et jeunes. La toile réalisée par le jeune prodige représentait parfaitement l'image des trois déesses grecques. Lorenzo détourna le regard de son œuvre. Il arborait son sourire jovial habituel.

— Elle s'est très bien passée, confirma Lorenzo. Je n'ai eu qu'à peindre cette toile et le public a été comblé. Cette fois, c'était facile, c'est ma sixième aujourd'hui.

Leonardo fronça les sourcils, étonné.

— Que me chantes-tu là ? s'étonna-t-il en se rapprochant de la toile. C'est le travail de plusieurs semaines.

— Ce n'est pas plus qu'une simple ébauche, dit Lorenzo sans la moindre prétention. Toutefois, les invités semblent avoir apprécié.

— Seigneur ! souffla Leonardo en contemplant la toile. Mon cher, tu ne cesseras jamais de m'impressionner.

Le repas avait été servi et le vin coulait à flots depuis déjà plus d'une heure. Andrea Verrocchio partageait sa table avec la famille Colomb. Leonardo, Lorenzo et Vera de Marsala y prenaient place aussi. Cette dernière, un des modèles de l'atelier, était particulièrement en beauté ce soir-là. Comme d'habitude, elle attirait tous les regards mais elle n'y portait guère attention. Un peu plus loin, quelques ménestrels animaient la soirée de leur joyeuse musique au psaltérion. L'ambiance était festive et tous semblaient passer un agréable moment.

Andrea Verrocchio leva son verre avant de dire quelques mots :

— Mon cher Christophe, je vous dois une fière chandelle ! Le vin que vous nous avez apporté du Portugal fait beaucoup d'heureux.

Le jeune marin sourit en levant son verre à son tour. Il avait l'air de bien bonne humeur. Il avait revêtu des vêtements élégants et avait même peigné sa tignasse brune habituellement si désordonnée. La présence de Vera au souper y était sûrement pour quelque chose. Le père de Christophe, qui prenait place de l'autre côté de la table, ne semblait pas partager la joie de son fils. En effet, Domenico paraissait grognon depuis son arrivée.

— Ne l'encouragez pas, Andrea, dit-il en fusillant son fils du regard. Ce n'est pas une carrière que de parcourir la mer de la sorte. Il finira par se tuer au cours de l'un de ses stupides voyages.

Verrocchio resta sans mot face à ces paroles hostiles.

— C'est une profession comme les autres, déclara Christophe en gardant son calme, sans compter que je gagne plutôt bien ma vie. Sans vouloir te vexer, mon travail me fait gagner beaucoup plus que ton emploi de tisserand à Gênes.

— L'argent n'a aucune importance ! s'exclama le père du navigateur. Ce qui compte, c'est la passion que l'on nourrit pour son travail.

— Voilà ! trancha Christophe. Maintenant, laisse-moi un peu tranquille.

Assis à la droite de Domenico, Bartolomeo, le frère du marin, posa la main sur l'épaule de son père.

— Il faut lui pardonner, pria-t-il en souriant. Mon père est un homme rigoureusement traditionnel ! Il ne veut pas comprendre que l'avenir du monde est dans l'exploration maritime. Je crois que si mon frère ne meurt pas noyé, il deviendra peut-être un grand explorateur.

Un malaise plana sur la tablée pendant quelques secondes.

— C'est gentil, frérot ! lança Christophe en levant son verre.

Christophe fit un sourire charmeur à Vera qui se trouvait à l'autre bout de la table. Légèrement gênée, la jeune femme détourna le regard. La situation n'échappa pas à Leonardo qui en fut fort amusé. Sandro Botticelli avait donc un rival…

— Vos voyages doivent vous permettre de voir de beaux paysages, déclara Lorenzo d'un air admiratif.

— En effet, répondit Christophe. Par exemple, nous partons pour la Chine très bientôt. C'est une longue route, mais les paysages y sont magnifiques.

L'idée de voyager autant que Christophe faisait rêver Leonardo. L'inventeur avait bien fait quelques voyages en compagnie de son père, mais il n'avait encore jamais entrepris de grands périples. Il revint brusquement à la réalité lorsqu'il vit un groupe de personnes faire irruption dans la cour intérieure. Il s'agissait d'Agostino, de Pratrizio et d'Aronne da Vinci, trois de ses plus jeunes frères. La peste était un fléau moins foudroyant que ces trois vermines réunies. Une chose était certaine : s'ils étaient ici, ce n'était sûrement pas pour dire bonjour à Leonardo. Avec un regard malhonnête, les frères da Vinci passaient en revue les tables une à une. Leonardo se jeta sur le sol à la surprise de tout le monde.

— Qu'est-ce qui t'arrive, Leo ? interrogea Vera avec de grands yeux.

— Je reviens plus tard, répondit l'inventeur. J'ai une affaire urgente à régler.

Sans plus d'explication, Leonardo s'éloigna le plus rapidement possible en rampant.

— C'est un garçon spontané, dit le père de Christophe à l'intention du maître de l'atelier.

— Vous n'avez pas idée ! déclara Andrea en riant.

2
Les frères Botticelli et da Vinci

— As-tu vu ça ? demanda Déborah à Vito.

Les deux tourtereaux s'étaient nichés sur le plus haut toit de l'atelier pour bénéficier d'une meilleure vue d'ensemble de la fête, où tout se passait fort bien. Pour pouvoir grimper aisément, la jeune Asiatique s'était vêtue comme un garçon ; après tout, le port d'une robe rendait difficile l'escalade d'un toit. Sa tenue était donc fort banale : une paire de chausses noires ainsi qu'un pourpoint de la même couleur. Toutefois, cela ne lui enlevait en rien sa féminité. Vito la trouvait radieuse, comme toujours. Elle était si belle qu'à son humble avis aucun peintre de l'atelier ne réussirait jamais à reproduire ses traits. Au-delà de la beauté, Vito était attaché à la personnalité éclatée de Déborah. Il n'en existait pas deux comme elle.

— Ouais, répondit l'ancien maraudeur, amusé. Leonardo file comme un lièvre affolé.

— C'est étrange, car Sandro n'est pas dans les parages.

Les pieds suspendus dans le vide, Vito se pencha légèrement pour inspecter la foule.

— Ses frères sont venus le saluer. Ils sont reconnus pour être de très redoutables blagueurs. Si je n'étais pas si bien ici, avec toi, j'irais sûrement prêter main-forte à Leo.

Déborah s'approcha de Vito pour caresser sa chevelure rousse.

— C'est un grand garçon, murmura-t-elle. Il se débrouillera.

Après avoir franchi la porte du bâtiment des chambres, Leonardo se remit aussitôt debout. Il avait eu de la chance : ses frangins ne l'avaient pas vu. La meilleure option qui s'offrait à lui était probablement de s'enfermer dans sa chambre. Ses frères comptaient sûrement profiter de leur visite pour l'humilier ; ce ne serait pas la première fois. L'inventeur fonça vers l'escalier à vis. Il allait s'y engager lorsqu'il tomba face à face avec deux inconnus aux traits familiers, qui portaient des pourpoints en cuir noir en tous points similaires. L'un d'eux était athlétique, tandis que l'autre avait quelques kilos en trop. Les deux jeunes hommes à la chevelure blonde paraissaient égarés. Étrangement, celui qui était grassouillet transportait un vase rempli de teinture rouge.

Ce dernier s'écria :

— Hé, tu es Leonardo da Vinci, pas vrai ?

— À vrai dire, commença Leonardo d'une voix hésitante, peut-être bien.

— Il paraîtrait que tu mènes la vie dure à notre frère Sandro, déclara le deuxième avec un drôle de sourire.

— Cela est exagéré, se défendit Leonardo, embarrassé.

C'était vraiment le comble. L'inventeur trouvait qu'il avait déjà assez d'ennuis avec l'arrivée de ses propres frères.

— Tu es un peu notre héros ! avoua le plus rondouillard. Sandro n'arrête pas de nous parler de toi. Je crois qu'il te déteste vraiment. Personne au monde ne l'embête plus que toi. C'est un honneur de te rencontrer. Je me nomme Giovanni.

— Et je suis Antonio, annonça l'autre.

Leonardo était légèrement surpris par l'accueil des frères de son pire ennemi. Tout portait à croire que Sandro n'était guère plus agréable avec eux qu'il ne l'était avec lui.

— Antonio di Mariano ! s'exclama Leonardo en reconnaissant l'orfèvre de talent. J'ai eu la chance de voir plusieurs de vos travaux lors d'une exposition. Je ne savais pas que Sandro était votre frère. Toutes mes condoléances !

Les deux frères éclatèrent d'un rire sincère. Après quelques secondes, Antonio reprit la parole.

— Aurais-tu une idée de l'endroit où se cache Botticelli ?

Leonardo jeta un œil d'arrière lui. Pour l'instant, ses frères étaient invisibles.

— Vous le trouverez à coup sûr dans sa chambre, au quatrième étage. Depuis quelques semaines, il passe la plus grande partie de son temps là-haut.

Giovanni et Antonio échangèrent un regard complice. Puis ce dernier dit :

— C'est parfait ! Merci, Leo, et bonne continuité à l'atelier.

Leonardo observa les deux garçons qui s'engageaient dans l'escalier. Ils marchaient sur la pointe des pieds, comme s'ils avaient peur d'être entendus. Pour l'inventeur, ça sentait la mauvaise blague à plein nez.

— Il est là ! cria une voix plus loin.

Après s'être retourné, Leonardo aperçut ses trois frères sur le seuil de la porte d'entrée, armés de bâtons de bois.

— Bigre ! s'écria Leonardo avant de fuir.

Les dernières semaines avaient été particulièrement productives pour Sandro Botticelli. Depuis peu, le peintre ne travaillait plus seulement pour Andrea Verrocchio, mais aussi pour les frères Pollaiolo. En effet, il avait été approché par Piero del Pollaiolo pour concevoir une toile qui figurerait dans la série des Vertus. Cette série avait été commandée par la Chambre de commerce de Bologne. Sandro n'avait pu refuser : le salaire était fort intéressant et il s'agissait d'un projet splendide. L'argent obtenu lui permettrait de payer les deux premiers mois de loyer de son tout premier atelier. Sandro avait justement repéré un local qui ferait parfaitement l'affaire en bordure du fleuve Arno. C'était donc avec beaucoup de motivation qu'il travaillait sur cette nouvelle toile qu'il avait baptisée *Fortitude.* Avec un peu de chance, il s'agirait de la dernière toile qu'il devrait peindre dans sa chambre. Pietro n'était d'ailleurs pas très enchanté que son compagnon apporte du travail. Sandro devait bien l'avouer, cette toile était beaucoup trop encombrante pour la minuscule chambre. Et c'était sans parler de l'odeur de peinture qui empestait la pièce. Il était parvenu à faire taire son ami en lui promettant une place dans son futur atelier. Le peintre de talent était penché sur son œuvre, représentant une femme assise sur un trône, lorsque ses frères firent irruption dans la pièce. La surprise lui fit échapper son pinceau.

— Sandro ! s'écria Antonio en se jetant sur son frère.

Par réflexe, le peintre tenta de s'emparer de son épée qui reposait sur la commode. Giovanni saisit l'arme et la jeta hors de la chambre. Il déposa ensuite le vase sur le meuble. Sandro songea que tout cela ne présageait rien de bon.

Venant d'agripper Sandro par un bras, Antonio lança sur un ton moqueur :

— Qu'est-ce qui se passe ? Je te trouve drôlement rapide sur la défensive !

La technique de clé articulaire qu'aimait tant utiliser Sandro, celle-là même qui lui avait permis de maîtriser le saboteur, lui avait été inculquée par nul autre que son frère. Malheureusement, ce dernier l'avait toujours mieux exécutée. Il ne fallut donc pas longtemps à Antonio pour clouer Sandro au sol.

Le peintre s'exclama, d'un ton faussement enjoué :

— Hé, comment allez-vous, vous deux ?

— Assez mal, petit frère, répondit Antonio. Imagine-toi donc qu'un voleur est venu nous prendre du matériel à l'atelier. Par chance, une dame du voisinage l'a vu entrer.

— C'est plutôt malheureux, je te l'accorde, déclara Sandro, le visage contre le sol.

— Arrête de te moquer de nous ! éclata Giovanni. Tu vas nous dire pourquoi tu nous as volé tout ce matériel.

Sandro soupira. Il n'avait guère le choix de coopérer. Il n'était généralement pas dans sa nature de dérober des biens à quiconque.

— Je comptais tout vous remettre. J'ai une commande de l'extérieur et je ne trouvais pas très honnête d'utiliser le matériel de Verrocchio. En quelque sorte, je travaille pour la compétition, vous comprenez ?

— Mais c'était honnête de venir nous le piquer ? interrogea Antonio en resserrant sa prise.

— Vous êtes deux idiots, dit Sandro, alors c'est moins grave, j'imagine.

— Bon, souffla Antonio tranquillement.

Il jeta un regard vers son frère qui se tenait dans le cadre de la porte.

— Sors le rasoir, ordonna-t-il en maintenant toujours Sandro plaqué au plancher.

— Quoi ?! s'écria le peintre.

Leonardo se réveilla complètement désorienté. Il n'était plus à l'atelier de Verrocchio, mais dans un entrepôt vide, poussiéreux et sombre où il était certain de n'avoir jamais mis les pieds. Il se souvenait d'avoir couru en direction de sa chambre, mais ne savait plus s'il avait pénétré dans la pièce. Il n'arrivait pas à croire qu'un de ses frères ait pu l'assommer. Par le passé, lui-même avait fait bien pire. Mais depuis ce temps, beaucoup d'eau avait coulé sous les ponts.

L'inventeur se remit sur pied. La température lui sembla très fraîche tout à coup. C'est à ce moment qu'il réalisa le mauvais tour qu'on lui avait joué : il était nu comme un ver.

— Ce n'est pas vrai ! s'exclama-t-il nerveusement.

Cette fois, ses frères s'étaient vraiment surpassés. « Les choses ne sont sûrement pas si graves, songea Leonardo. Je vais me sortir rapidement de là ! »

Il inspecta les lieux. Il y avait une porte entrouverte à l'autre bout de la pièce. D'après la lumière qui émanait de cette direction, l'ouverture devait donner sur l'extérieur. Mais pour l'instant, il n'était pas question pour Leonardo de sortir, pas avant d'avoir trouvé de quoi s'habiller. Malheureusement pour lui, il n'y avait pas grand-chose aux alentours. Le garçon arrêta son choix sur un vieux tonneau en bois, cerclé de tiges de fer. D'un coup de pied, il arracha les deux couvercles du tonneau. Les pieds joints, il sauta à l'intérieur puis agrippa l'objet pour le monter au niveau de sa taille. Certes, ce serait ridicule de se promener dans les rues de Florence caché dans un tonneau, mais c'était mieux qu'être nu. « Pourquoi est-ce que je me retrouve toujours dans ce genre de situation ? » se plaignit Leonardo à voix haute.

Maintenant qu'il avait réglé son problème de nudité, Leonardo risqua un regard à l'extérieur. Le quartier lui était familier ; il n'était qu'à quelques rues de l'atelier. Il faisait toujours clair à l'extérieur, il n'était donc pas resté inconscient bien longtemps. Sans perdre de temps, l'inventeur s'aventura dehors. Les passants n'avaient probablement jamais vu un jeune homme vêtu d'un tonneau courir aussi vite. Lorsqu'il vit la porte d'entrée de l'atelier, Leonardo eut envie de crier victoire. Jusqu'à présent, le trajet s'était déroulé sans anicroche. Mais les choses ne pouvaient durer ainsi, évidemment...

— Leonardo, s'écria une voix derrière lui, que faites-vous habillé de la sorte ?

La peur de découvrir l'identité de celui qui venait de l'interpeller s'empara de l'inventeur. Malgré tout, il se retourna. L'homme à la coiffure en champignon et au nez allongé le dévisageait d'un regard perplexe. Il s'agissait de Laurent de Médicis. La personnalité politique était accompagnée d'un jeune homme particulièrement élégant qui devait avoir à peu près quinze ans. Les yeux de ce dernier exprimaient un grand mépris lorsqu'ils se posèrent sur Leonardo. L'inconnu était manifestement un bébé gâté de la haute bourgeoisie florentine. La situation était pour le moins embarrassante.

— Bonjour ! s'écria l'étudiant en art. Je vois que vous avez finalement décidé de venir faire un tour à l'atelier. Andrea Verrocchio sera ravi.

— J'en suis heureux, dit Laurent. Mais dites-moi... Pour quelle raison vous déplacez-vous dans un tonneau ?

— C'est une longue histoire, dit Leonardo. Vous me connaissez : j'ai toujours des ennuis.

— En effet, confirma Laurent avec un sourire complice, et ce, au grand malheur de votre père. Malgré tout, permettez-moi de vous présenter mon frère Julien.

Le jeune homme inclina légèrement la tête en signe de salut. Les deux frères partageaient une petite ressemblance, mais Julien avait été beaucoup plus choyé par la nature. Le garçon, malgré son regard hautain, avait les traits d'un ange.

— J'ai entendu parler de vos exploits, lança le garçon assez froidement. La capture d'Alberto de Corleone a permis d'en apprendre beaucoup plus sur la confrérie de Warress Ferrazini. Pour cela, Florence vous remercie. Si un jour vous avez des ennuis, vous pourrez compter sur mon appui.

— Je vous en suis reconnaissant, répondit Leonardo simplement.

— À coup sûr, l'appui de mon frère vous sera utile un jour ! plaisanta Laurent.

— Allons tout de suite à l'atelier, ordonna Julien, impatient.

L'idée d'entrer par la porte principale de l'atelier, donc à la vue de tous, ne plaisait pas trop à Leonardo. Toutefois, le frère de Laurent semblait être le genre de personnes que l'on ne contredit pas.

— Allons-y, dit-il à contrecœur.

La porte principale du bâtiment des chambres s'ouvrit avec une telle force que les ménestrels en cessèrent leur musique. L'ensemble des invités se tourna pour apercevoir Botticelli en jaillir, l'air affolé. Le peintre était manifestement poursuivi. Toutefois, ce n'était pas cela qui attirait le plus l'attention : Sandro n'avait plus un seul cheveu sur la tête. Antonio et Giovanni lui avaient rasé entièrement le crâne. Ses deux frères savaient à quel point il entretenait avec soin sa chevelure, dont il tirait une grande fierté. Sandro traversa la cour sans faire attention aux regards braqués sur lui. Le peintre était trop pressé de fuir les lieux, puisque ses frères étaient toujours à sa poursuite. Il avait réussi à leur échapper avant qu'ils ne complètent leur machination.

— Reviens ici ! cria Giovanni en franchissant la porte à son tour.

À sa table, Andrea Verrocchio commençait à s'inquiéter. Le pot que tenait entre les mains le frère de Botticelli n'augurait rien de bien réjouissant. En fait, le récipient contenait une bonne quantité de teinture pour le cuir. Sandro avait toujours détesté cette mixture collante. Lorsqu'il travaillait pour son père à la tannerie, le peintre abhorrait les corvées de teinture. Ce travail consistait à plonger le cuir dans des bains de tanin avant d'immerger ceux-ci dans différentes teintures. Après ce travail épuisant, il se retrouvait toujours avec les doigts tachés pour des jours. Sandro avait donc d'excellentes raisons de fuir ses frangins qui manigançaient sans doute de lui lancer au visage l'affreuse mixture.

— Ma parole, il s'est fait déplumer la tignasse, celui-là ! dit Christophe en suivant des yeux Botticelli. Il me rappelle un pirate que j'ai connu. Mon cher Andrea, votre soirée ne manque pas d'animation !

Lorsque Sandro ouvrit la porte principale de l'atelier, ses deux assaillants l'avaient presque rattrapé. Sa surprise fut grande lorsqu'il découvrit Leonardo de l'autre côté qui s'apprêtait à ouvrir la même porte.

— Pourquoi es-tu nu ? questionna-t-il en fronçant les sourcils.

Incrédule, Leonardo le dévisagea à son tour.

— Et toi, pourquoi es-tu chauve ?

Sandro aperçut, derrière Leonardo, Laurent de Médicis et un jeune homme.

— Attention ! s'écria Leonardo en se jetant sur Botticelli.

Les deux étudiants tombèrent à la renverse, évitant de justesse la vague de teinture que Giovanni venait de propulser dans les airs. Le liquide termina sa course dans le visage de Julien de Médicis. En quelques secondes, le jeune de Médicis fut entouré d'une dizaine d'hommes de l'escouade des Aigles. Certains d'entre eux s'étaient même infiltrés parmi les visiteurs de l'atelier. Giovanni fut immédiatement maîtrisé par l'un d'eux. À la table d'Andrea Verrocchio, le silence était tombé sur les convives. Le propriétaire de l'atelier se tenait la tête entre les mains et marmonnait de sombres paroles.

— Voilà qui risque d'envenimer la soirée! ironisa Christophe Colomb.

3
La convocation

La soirée de la veille s'était terminée sur une bien mauvaise note. Le pauvre Andrea était fort embarrassé après l'incident avec la teinture. De toute sa vie, Laurent n'avait jamais vu Julien dans une telle furie. Malgré tout, après quelques heures, le propriétaire de l'atelier avait fini par calmer le jeune fils de la famille la plus influente de Florence. Tous les invités avaient pu entendre la conversation animée qui avait duré plusieurs heures dans le bureau d'Andrea. Cette soirée ferait encore beaucoup parler à Florence. Heureusement, ce matin, tout était beaucoup plus calme.

En mettant les pieds dehors, Vito eut l'impression de se retrouver sur un champ de bataille. Malheureusement pour lui, son travail consistait entre autres à nettoyer ce genre de dégâts. C'était le côté négatif d'un emploi stable : il devait effectuer certaines tâches qu'il n'aurait jamais faites auparavant. L'ancien maraudeur se consola en songeant qu'au moins il n'avait plus à chercher tout le temps des contrats. Dans la cour intérieure, les tables étaient renversées et de la nourriture jonchait le sol un peu partout. Les goélands s'étaient vraisemblablement passé le mot, car ils festoyaient par dizaines. Vito s'approcha d'une des tables et la frappa violemment du balai qu'il tenait. Les volatiles s'envolèrent dans un nuage de plumes.

— Courage, Vito ! cria une voix en provenance de la porte du bâtiment des chambres.

Le jeune rouquin tourna la tête. Il découvrit Déborah qui lui souriait. Elle avait un balai à la main.

— Tu veux un peu d'aide ? interrogea-t-elle en s'approchant.

— Ce ne serait pas de refus, avoua Vito.

Les deux amoureux se mirent au travail.

— Où est-ce qu'on va pouvoir mettre tous ces détritus ? questionna Déborah en inspectant la cour avec découragement.

— Ces vingt tonneaux de vin vides feront très bien l'affaire.

Avec un peu de chance, ils termineraient en fin d'après-midi. Les artisans étaient exceptionnellement en congé aujourd'hui, ce qui s'avérait une bonne chose. Le couple ne risquait pas de se faire déranger.

Lorenzo dormait paisiblement, bien emmitouflé sous ses couvertures. Pour sa part, Leonardo, qui se trouvait sur le lit voisin, était réveillé depuis plusieurs heures. Quelques jours auparavant, il avait entamé la lecture d'une œuvre de Boccace, *Décaméron*. Il profitait donc de cette journée de repos pour avancer sa lecture. De plus, passer une journée tranquille allait sûrement l'aider à oublier la journée de la veille. Seul Lorenzo avait semblé passer un agréable moment. Avant de s'endormir, le jeune prodige lui avait confié que la soirée lui avait valu un très beau contrat. Leonardo se demandait de quoi il pouvait bien s'agir. Il venait tout juste de tourner une page lorsqu'on frappa à la porte.

— Entrez ! invita l'inventeur sans quitter des yeux son bouquin.

Sandro apparut sur le seuil. Comme d'habitude, le peintre avait eu un réveil difficile. C'était, en général, le seul moment de la journée où il ne cherchait pas d'embrouilles. Il avait dissimulé son crâne rasé sous la capuche de sa toge. C'était la première fois que Leonardo voyait la tête du peintre recouverte du capuchon.

— Andrea Verrocchio veut nous voir dans son bureau, déclara Botticelli sans grande émotion.

Leonardo déposa son livre sur sa table de chevet et se mit debout. Il s'était attendu à une telle requête du maître ; c'est pour cette raison qu'il n'était pas resté en tenue de nuit. Avec un peu de chance, la réprimande serait brève et il pourrait regagner sa chambre rapidement. Les deux étudiants se rendirent ensemble chez le directeur.

— J'ai entendu dire que tu avais un contrat avec les frères Pollaiolo ? interrogea Leonardo pour briser le silence.

— Mmm... se contenta de marmonner Sandro.

Visiblement, le peintre n'était pas d'humeur à parler, et surtout pas à Leonardo. Après avoir escaladé quelques marches, les deux garçons franchirent l'un après l'autre le seuil du bureau.

— Fermez derrière vous, ordonna Andrea Verrocchio assis à son bureau.

L'expression du directeur était indéchiffrable. Toutefois, il était évident que le pauvre homme n'avait pas beaucoup dormi la nuit dernière. Leonardo ferma la porte, puis alla s'asseoir sur l'un des deux sièges disposés en face du bureau. Andrea rassembla sa paperasse puis la déposa dans un tiroir.

— Bon, commença le grand maître d'une voix tranquille, je ne veux pas savoir pourquoi vous vous promeniez à moitié nu dans les rues de Florence hier, Leonardo. Pas plus que je n'ai envie de savoir pourquoi vous n'avez plus un seul cheveu sur la tête, Sandro. Après tout, c'est votre vie privée, et je suis bien conscient que vous êtes tous deux fantasques. Maintenant, permettez-moi de vous expliquer ce qui adviendra de vous...

Les choses semblaient plus graves que ne l'avait imaginé Leonardo. Manifestement, le grand maître n'entendait pas à rire. Les deux étudiants échangèrent un regard inquiet.

— Julien de Médicis a renoncé à vous faire pendre, déclara le directeur.

— Une excellente nouvelle, répliqua Botticelli entre deux bâillements.

— Une fois de plus, Leonardo et vous avez mis l'atelier dans l'embarras, reprit Andrea. J'ai l'impression que vous ne comprenez pas bien la situation. L'heure est grave, bien des gens voudraient renverser le pouvoir à Florence. Il est même possible que la famille Pazzi tente d'assassiner Laurent et son frère dans le but de prendre le contrôle de la ville. Ils sont nombreux ceux qui voudraient voir la tête de Laurent rouler. Cette mauvaise blague aurait pu très mal finir. Les gardes entourant les de Médicis n'auraient pas hésité à vous tuer s'ils avaient cru que vous représentiez un danger pour l'homme d'État. De plus, vous avez mis Julien dans une telle rage que nous sommes passés à deux doigts de devoir mettre la clé sous la porte. J'ai réussi à le calmer en lui proposant un portrait gratuit. C'est un travail dont vous allez vous charger, Sandro, et à vos frais.

— Génial, je vais devoir peindre un petit prétentieux, souffla Sandro, mécontent.

— Étant prétentieux vous-même, dit Andrea furieusement, vous devriez bien vous entendre, votre modèle et vous. Vous savez, il m'arrive très souvent de regretter de vous avoir repris, Sandro.

Selon Leonardo, les choses commençaient sérieusement à dégénérer.

— Monsieur, nous ne sommes pour rien dans toute cette histoire, se défendit-il. Nous étions au mauvais endroit au mauvais moment.

— De toute façon, ce ne sera pas pour tout de suite… N'en parlons plus, trancha Andrea froidement. Maintenant, passons aux choses sérieuses. Pendant les prochains mois, je ne veux plus vous voir à l'atelier. La ville de Florence a besoin de vous oublier un peu.

— Quoi ?! s'écria Sandro, surpris.

— Du calme, je ne vous mets pas à la porte. Vous allez tous deux faire un voyage ensemble, ce qui devrait vous rapprocher.

Leonardo était dépassé. Il avait envisagé plusieurs possibilités, mais cette annonce le prenait totalement par surprise.

— Il n'en est pas question ! intervint Sandro, furieux. J'ai un contrat très important avec les frères Pollaiolo et je n'ai aucune envie de voyager avec da Vinci.

— Je m'occuperai des frères Pollaiolo, promit Andrea. Le voyage est déjà organisé. Vous partez tous demain, à la première heure.

— Tous ? s'étonna Leonardo.

— Je me suis entendu avec le jeune Colomb, indiqua le directeur. Vous partirez avec Vito et Vera. La seule condition pour qu'il vous prenne, c'était que Vera vous accompagne. Pour l'instant, elle ignore ce détail et n'a pas besoin de le connaître. Bref, le navire de Colomb, le *Mandeville*, vous attend au port de Livourne.

Sandro fronça les sourcils. Il se demandait qui était ce garçon qui s'intéressait de trop près à sa muse. À la lumière de cet élément, il était certain qu'il n'allait pas laisser Vera voyager sans lui. D'ailleurs, elle était une fille trop bien pour fréquenter un marin.

— Christophe, le livreur de vin ? questionna-t-il.

— Oui, répondit Andrea. Son navire partira bientôt pour la Chine. Vous vous joindrez à son équipage. Vous aurez pour mission de rapporter un maximum d'informations sur l'art chinois de la poterie. Je compte faire de l'atelier le plus grand fabricant de poteries de toute l'Italie. Le succès de ce projet réside dans le savoir chinois, j'en suis convaincu.

Démoralisé, Sandro se couvrit le visage de ses mains.

— La Chine ! s'enthousiasma Leonardo. Ce voyage prendra des mois !

Si l'idée de passer des mois sur un navire plaisait à Leonardo, ce n'était toutefois pas le cas pour Sandro Botticelli. La destination et le but du voyage n'intéressaient guère plus le garçon.

— C'est ridicule, affirma Sandro. Vous ne pouvez pas m'imposer ce voyage.

— En effet, répondit le directeur. Libre à vous de quitter mon atelier.

Sandro hésita quelques secondes. Avec le contrat qu'il avait obtenu, il pourrait bientôt avoir son propre atelier. Il n'aurait donc plus à se soumettre aux ordres d'Andrea Verrocchio. En fait, même s'il abandonnait sa formation aujourd'hui, il pourrait facilement réussir comme peintre à Florence. Toutefois, il n'était pas question de laisser Vera partir toute seule. Sandro craignait que ce Christophe ne parvienne à la séduire. Bien entendu, il aurait dû déclarer sa flamme à Vera bien avant, mais sa carrière de peintre avait toujours passé en premier. Brusquement, Sandro prenait conscience qu'il y avait des choses plus importantes que sa carrière et que Vera n'allait pas rester libre indéfiniment. Elle était ravissante à en mourir ; c'était vraiment incroyable qu'elle n'ait pas encore de petit ami.

— Je vais faire mes bagages, annonça Sandro en se levant.

Leonardo n'arrivait toujours pas à croire qu'il s'en allait en Chine. Lui qui avait toujours voulu voyager, il était servi.

— N'oubliez pas d'apporter des parchemins et du fusain, conseilla Andrea, car vous avez des projets à me remettre. Compte tenu du voyage, il vous sera difficile de peindre. Donc, à votre retour, vous devrez me remettre cent illustrations sur des parchemins. Vous ne risquez pas de manquer d'inspiration.

— Merveilleux, souffla Sandro en quittant le bureau.

— Quelle superbe occasion ! s'écria Leonardo. Je ne vous remercierai jamais assez !

Sur ces paroles, il bondit de son siège et quitta la pièce sans plus tarder. Son livre de Boccace devrait attendre. Il devait de toute urgence trouver des ouvrages sur la Chine, si possible sur la langue et la géographie. Il aurait probablement tout le loisir de les lire à bord du navire. Il ne risquait pas de s'ennuyer. Mais pour l'instant, il avait peur de manquer de temps pour tout préparer.

Andrea Verrocchio regarda ses étudiants quitter le bureau. L'atelier serait rudement plus tranquille sans Leonardo et Sandro. Toutefois, il ne pouvait nier qu'il les appréciait malgré tout.

4
Le grand départ

Leonardo n'avait pas enfilé sa toge ce matin. Il n'en aurait pas besoin pour les prochains mois. Il avait donc revêtu les vêtements dans lesquels il était arrivé à l'atelier, quelques mois auparavant. La sensation de retrouver ses habits luxueux lui faisait un drôle d'effet. À l'atelier, personne ne se souciait de son apparence, tous portaient la toge obligatoire. L'inventeur avait fini par s'y habituer après un moment. Leonardo attrapa son béret qui n'avait pas quitté sa commode depuis son arrivée et le mit sur sa tête. Il se sentait élégant dans son pourpoint de velours vert olive, sa chemise à manches bouffantes et ses luxueuses chaussures en cuir de daim.

— Je vais t'aider à transporter tes bagages jusqu'au chariot, indiqua Lorenzo qui avait tenu à assister au départ.

— Si tu veux, dit Leonardo. C'est gentil.

Les garçons quittèrent la chambre. Ils sortirent à l'extérieur de l'atelier où les attendait le chariot. Le soleil se levait à peine sur Florence, mais la journée s'annonçait rayonnante. « Une température parfaite pour voyager », songea Leonardo en levant les yeux au ciel. Vito s'affairait à embarquer les bagages avec l'aide de Botticelli. Le peintre était silencieux ce matin, comme tous les matins d'ailleurs. Il avait lui aussi délaissé sa toge pour une tenue plus confortable. Lorenzo déposa les bagages au pied du véhicule. À première vue, l'ancien maraudeur ne semblait pas plus ravi de partir que Sandro. L'idée de devoir se séparer de Déborah devait lui être particulièrement pénible.

— Je vous souhaite à tous un agréable voyage, lança Lorenzo d'une voix enjouée. J'espère que vous ferez de belles découvertes. Vous allez tous me manquer, même toi, Sandro.

— Très drôle, commenta froidement le peintre sans se retourner.

— C'est gentil, Lorenzo, dit Vera qui venait d'arriver. C'est certain que ça va nous changer de la routine.

Vera était accompagnée de Déborah qui venait dire au revoir à ses amis. Celle-ci ébouriffa les cheveux de Lorenzo au passage avant de monter à bord du chariot.

— Da Vinci, as-tu apporté ton épée ? questionna Sandro.

— Il vaudrait mieux, dit Vito qui venait de finir de charger les bagages. Il est préférable d'être armé en présence de Christophe Colomb, car il est imprévisible. Il pourrait bien vous donner une raclée simplement parce que vous avez oublié de le saluer, ce qui serait tout à fait son genre. Bien entendu, cela dépend de son humeur du moment.

— Fantastique, exprima Leonardo. J'ai bien fait d'apporter mon épée, alors.

— Tout le monde à bord ! cria Pietro en franchissant la porte d'entrée.

L'artiste rondelet s'approcha du chariot. Il transportait un encombrant havresac, son casse-croûte, probablement.

— Plus vite vous serez arrivés, plus vite je serai revenu, déclara-t-il en prenant place à l'avant de la voiture de transport.

Andrea Verrocchio l'avait chargé d'aller déposer le groupe au port de Livourne. Le garçon avait accepté avec une joie surprenante. Pietro semblait ravi à l'idée d'avoir la chambre qu'il partageait avec Botticelli pour lui seul pour les mois à venir.

Déborah s'approcha de Vito, qui se trouvait toujours derrière le chariot. Elle déposa un doux baiser sur ses lèvres. «Le jeune couple est beau à voir», songea Leonardo en souriant.

Déborah pria son amoureux d'être prudent, ce à quoi Vito répondit d'une voix rassurante :

— Ne t'inquiète pas. Ce n'est pas mon premier voyage en mer. J'ai déjà hâte de revenir.

Les voyageurs prirent place dans le véhicule. Sans trop de conviction, Vito monta à bord le dernier. Ses yeux ne quittaient pas la jeune Asiatique qu'il aimait tant.

— En route ! s'écria le compagnon de chambre de Sandro en fouettant les chevaux. Nous avons beaucoup de chemin à faire.

Le chariot partit aussitôt.

— Faites attention à vous ! cria Lorenzo.

Lui et Déborah regardèrent ensemble la voiture s'éloigner.

Lorsque Leonardo et les autres arrivèrent en vue du port de Livourne, plusieurs heures plus tard, la température avait beaucoup changé. Le vent s'était brusquement levé ; il soufflait un air glacial gonflé d'humidité. Des nuages sombres comme de la suie s'approchaient en provenance de la mer. Il était évident qu'une tempête allait éclater d'une minute à l'autre. Heureusement, le chariot était équipé d'un toit arrondi en toile pour protéger les voyageurs, mais Pietro devrait manœuvrer sous la pluie si celle-ci se décidait à tomber. Au loin, les bâtiments dissimulaient toujours le port. Toutefois, le groupe pouvait apercevoir les mâts des navires qui y étaient accostés. La mer semblait déchaînée car les poteaux s'agitaient furieusement. Au-delà de l'enceinte qui entourait le port, seul le grand phare de Livourne paraissait inébranlable.

— J'espère que ça ne retardera pas le départ, déclara Leonardo en observant la scène.

— Pas le moins du monde, répondit Vito d'un rire nerveux, et c'est ça qui m'inquiète. Rien n'empêchera Christophe de lever l'ancre, même si l'idée de quitter le port dans ces conditions semble suicidaire. En temps normal, le canal qui sillonne le port est protégé des intempéries. Une large digue de pierre a été érigée face au port pour protéger les navires des vagues. Elle n'offre qu'un accès restreint à la mer, ce qui empêche les vagues d'entrer dans le port. Toutefois, comme vous pouvez le constater, parfois ce n'est pas suffisant. Naviguer sur une mer agitée est une chose, se frayer un chemin dans un port agité en est une autre.

— Seigneur, je sens que je vais l'adorer, ce Christophe, dit Botticelli sur un ton sarcastique.

Dans un retentissement de tonnerre, la pluie débuta furieusement. Pietro fit accélérer les chevaux. Quelques minutes plus tard, le chariot traversa l'une des portes d'enceinte du port. Les voyageurs furent à l'abri de la pluie durant un court instant jusqu'à leur entrée dans le port. Leonardo observait la scène avec effroi. Le ciel s'était assombri ; seuls les éclairs offraient une lumière suffisante pour éclairer les lieux. Les navires étaient tous fermement attachés à leurs quais, mais certains semblaient sur le point de s'en arracher sous la force des intempéries. L'eau était si agitée qu'il semblait impensable qu'on puisse y naviguer. Leonardo comprit un peu mieux les craintes de l'ancien maraudeur. Vito rejoignit Pietro à l'avant du chariot. Il observa les alentours avec attention. Après quelques secondes, il pointa l'index vers la gauche.

— Tu vois le navire qui a un drapeau vert sur son mât d'artimon ? demanda le rouquin à l'intention du chauffeur.

Vito avait dû crier pour être entendu, car la tempête prenait une tournure apocalyptique.

— Lequel est-ce, le mât d'artimon ? interrogea Pietro en plissant les yeux pour mieux voir.

— Le dernier, celui sur la poupe du navire.

— Très bien, dit Pietro avant de diriger le chariot dans la direction indiquée.

Vera jeta un coup d'œil inquiet à l'extérieur. Sandro l'imita ; il ne put s'empêcher de soupirer.

— Je crois que je déteste Andrea Verrocchio, confia-t-il, le regard hypnotisé par la vue du port.

À quelques mètres à peine du chariot, un navire arracha son quai avant de se briser contre la paroi du canal.

— Vous avez vu ! s'écria Vera qui n'en croyait pas ses yeux.

La petite caravelle coulait déjà dans les eaux sombres. Leonardo et ses compagnons eurent à peine le temps de détourner les yeux qu'un éclair frappa un autre navire un peu plus loin. Le grand mât du bateau vola en éclats, projetant des morceaux de bois enflammés dans toutes les directions. La pluie qui s'était intensifiée eut rapidement raison du brasier.

— Nom d'une pipe, c'est une sacrée tempête ! s'écria Vito avant de regarder vers l'arrière du chariot.

Lui et ses amis étaient abasourdis par l'enfer qui régnait au port.

— Est-il normal que j'aie l'impression qu'on va tous mourir dans d'atroces douleurs ? interrogea Leonardo, inquiet.

— Il n'y a rien à craindre, assura Vito. Le *Mandeville* n'est pas un navire fragile comme ces coques de noix. C'est une caravelle résistante !

L'homme à tout faire de l'atelier jeta un œil aux alentours avant de désigner un quai de l'autre côté du canal où se trouvait un imposant bateau. La caravelle en question était dans un état irréprochable ; elle sortait probablement tout juste du chantier de construction.

— Il est assez semblable à ce navire, déclara fièrement le rouquin.

Au moment même où il disait ces mots, une vague propulsa la caravelle contre la paroi du canal. Sa poupe s'écrasa contre la pierre dans un vacarme surprenant. Son mât de poupe chuta comme un arbre abattu sur le navire voisin. Vito sursauta en voyant la scène, puis il tourna son regard vers ses amis.

— Euh... En fait, le *Mandeville* est beaucoup moins robuste que ce navire... Il s'agit en quelque sorte de son ancêtre, si je puis dire.

Le chariot arriva finalement près du *Mandeville*. Le navire était solidement attaché au quai qui, pour l'instant, semblait tenir bon. La caravelle à trois mâts montait et descendait au gré des vagues. « Monter à bord ne sera sûrement pas une tâche facile », songea Leonardo en quittant le chariot.

Christophe Colomb sortit d'une porte située sous le gaillard d'arrière – la partie surélevée du bateau. C'était à cet endroit que se trouvait sa cabine.

— Nous vous attendions ! s'écria-t-il joyeusement.

Il accourut sur le pont pour se rapprocher du groupe. Christophe avait enfilé un long manteau de cuir ainsi qu'un tricorne en peau de castor pour protéger sa chevelure de la pluie. Il s'agissait d'un chapeau de forme triangulaire bien connu dans le monde maritime. Comme d'habitude, il portait à sa ceinture une panoplie d'armes, dont une épée et une petite dague.

Pietro salua ses amis avant de rebrousser chemin. Il semblait pressé de trouver une auberge, ce qui était fort compréhensible. Après son départ, les quatre voyageurs se dirigèrent vers le quai. Juan, le cartographe à bord du *Mandeville*, rejoignit Christophe sur le pont pour aider les nouveaux venus à monter avec leurs bagages. Le jeune homme au regard distingué arborait une fine moustache élégante. Toutefois, le bonnet rouge qu'il portait lui enlevait toute crédibilité. Les voyageurs durent attendre que le navire soit dans le creux d'une vague pour sauter à bord ; c'était la meilleure méthode, compte tenu de la tempête.

Après que tous eurent monté sur le bateau, le jeune Colomb prit la parole.

— Juan, peux-tu conduire nos invités à leur cabine ? demanda-t-il en se tournant vers le cartographe.

— Bien entendu, répliqua le second à bord du *Mandeville*.

— Vous devrez rester dans vos cabines jusqu'à nouvel ordre, intima Christophe en regardant Leonardo, Sandro et Vera à tour de rôle. Vito, j'aurais besoin de toi sur le pont. J'ai l'intention de mettre cette tempête à profit ; elle nous permettra de prendre une bonne avance. Toutefois, il n'est pas question de déployer les voiles dans le port avec ce vent imprévisible. Nous allons donc tirer le navire avec les barques.

Juan s'approcha des trois voyageurs.

— Suivez-moi, leur dit-il en ouvrant la marche.

Ils descendirent par l'écoutille qui se trouvait au centre du pont. L'escalier donnait sur une pièce qui faisait office de salle à manger. Le sol était entièrement trempé et une odeur infecte empestait les lieux.

— Désolé pour l'odeur, s'excusa Juan. Certains membres d'équipage ont dû être malades. Avec tout ce ballottage, ce n'est guère étonnant. Bientôt, vous n'y ferez même plus attention.

« Cette idée est bien peu réconfortante », songea Leonardo. Juan se dirigea vers l'arrière du navire où se trouvait une porte. Il se déplaçait sans aucune difficulté, ce qui n'était pas le cas des trois passagers. Ils devaient s'agripper à tout ce qu'ils pouvaient pour ne pas tomber sur le plancher glissant. Le cartographe s'approcha d'une commode qui était clouée au mur, près d'un vieux four en fer. Il en sortit une vieille lampe à huile qu'il essaya d'allumer à l'aide d'un briquet à silex. Il s'agissait d'une laborieuse opération, compte tenu de l'environnement très humide. Après être enfin parvenu à allumer la lampe, Juan ouvrit la porte qui se trouvait juste à côté.

— Vos cabines sont ici, annonça-t-il. Ce n'est guère luxueux, mais au moins vous aurez chacun votre espace personnel. Ce n'est pas le cas des autres membres d'équipage, alors considérez-vous comme très chanceux.

Le jeune homme au bonnet rouge se rendit ensuite au centre de la pièce et suspendit la lampe sur un crochet au plafond. La salle dans laquelle se trouvaient le trio et son guide devait mesurer cinq mètres de longueur sur trois mètres de largeur. Il y avait, de chaque côté de la pièce, deux cabines. Aucune porte n'était à l'entrée des cabines, seulement un simple rideau qui n'offrait guère d'intimité.

— Dans chaque cabine, il y a un hamac, une commode, une petite table incurvée et un pot de chambre, continua Juan. Pour l'instant, je vous déconseille d'essayer de vous installer. Attendez que la mer soit un peu plus calme. De plus, pour éviter le mal de mer, je vous recommande de gagner votre hamac au plus vite. Si vous ressentez des nausées ou des vertiges, fermez les yeux, ça pourrait vous aider. Bon, maintenant, je dois vous laisser, nous devons sortir le *Mandeville* de cet enfer.

Le cartographe quitta la pièce et remonta l'écoutille.

— Eh bien, bonne nuit les amis ! s'exclama Leonardo, légèrement découragé par la condition du bateau.

L'inventeur réquisitionna la cabine la plus proche. Sandro et Vera se choisirent chacun une cabine et y entrèrent sans plus tarder.

Christophe avait fait sortir les deux barques. Vito et Juan avaient pris place dans la première. L'autre était occupée par Kimchi, le charpentier du navire, et Alessandro, une jeune recrue. Le capitaine attacha deux solides cordes de chaque côté de la proue et les lança aux barques. Vito parvint à attraper le lien et le fixa à l'arrière de l'embarcation. Ce fut plus difficile pour Kimchi, tant l'eau était agitée, mais il parvint finalement à attacher la corde lui aussi. La force de la tempête augmentait constamment, mais le capitaine était convaincu qu'il quitterait Livourne sans problème. Par le passé, il avait exécuté des manœuvres bien plus périlleuses.

Christophe se pencha vers l'avant du navire en s'agrippant fermement au mât de beaupré – la pointe du bateau.

— Excellent ! cria-t-il. Il ne vous reste plus qu'à ramer, les amis !

Il se précipita ensuite au mât de misaine, le premier à l'avant du navire. À l'aide d'une corde, il l'escalada sans difficulté et déploya sa voile avant de redescendre. Il n'était pas question de déployer toutes les voiles dans le port, mais la voile de misaine allait permettre au *Mandeville* de prendre un peu de vitesse. Sans prévenir, le navire tangua dans un angle de quarante-cinq degrés. Christophe glissa jusqu'à la paroi du navire à laquelle il se cramponna fermement. Dans ce déferlement infernal de pluie et de vent, il caressa son navire de la main. « Il ne faut pas que tu me lâches maintenant », pria-t-il intérieurement.

Puis le capitaine se releva et courut jusqu'au gaillard d'arrière. Il prit le contrôle de la barre. Les quatre rameurs s'étaient mis à la tâche et le navire commençait à bouger lentement.

Les cabines étaient dans un état lamentable, ce que Vera constata à la seconde où elle mit les pieds dans la sienne. Le mur du fond, qui se trouvait être la coque du navire, était fait de planches de bois noirci. Des filets d'eau s'écoulaient entre chacune des planches, ce qui paraissait peu rassurant. À chaque mouvement du bateau, le hamac de la jeune femme allait cogner contre le mur trempé. La nuit promettait d'être longue ; l'ensemble du voyage aussi, d'ailleurs. Vera n'était pas ravie à l'idée de partir, mais Verrocchio avait tenu à ce qu'elle participe à l'expédition. La jeune modèle ignorait toujours pourquoi. Elle avait déjà fait un voyage en mer auparavant, lorsqu'elle avait quitté Marsala. Toutefois, elle avait fait le trajet dans un navire bien plus spacieux qui n'avait rien à voir avec cette coque de noix.

— Quelqu'un a vomi sur mon hamac ! gémit Botticelli à l'intérieur de sa cabine.

Le peintre de talent tira le rideau et sortit de la cabine.

— C'est bien triste pour Vito, mais je change de cabine, annonça-t-il. Après tout, il a passé plusieurs années sur ce bateau, il doit être habitué de dormir dans la vomissure.

Le peintre chauve transporta ses bagages dans l'autre cabine en ruminant quelques propos sombres sur l'état déplorable du *Mandeville*. Vera ne put s'empêcher de sourire. Au moins, elle voyagerait en compagnie de Sandro. Malgré le très mauvais caractère de ce dernier, elle ne pouvait nier qu'elle l'aimait bien.

5
L'enfer sur terre

Couché dans son hamac, Leonardo tendait l'oreille pour entendre les bruits en provenance du pont. La tempête qui faisait rage et les craquements du bateau créaient une cacophonie assourdissante. Le *Mandeville* avait frappé de plein fouet la paroi du canal quelques minutes plus tôt. Par chance, le navire ne semblait pas avoir trop souffert de l'impact. Deux bruits sourds se firent alors entendre sur le pont, espacés d'environ une minute. Leonardo en conclut qu'il s'agissait des barques que l'on avait remontées à bord. Le *Mandeville* avait donc quitté le port de Livourne avec succès. L'inventeur ferma les yeux, suivant le conseil de Juan. Il commençait à ressentir une légère nausée. Vraisemblablement, il était le seul à en souffrir, car Sandro et Vera discutaient à voix haute, chacun dans leur cabine respective. Ils ne paraissaient pas être incommodés le moins du monde. La porte de la pièce s'ouvrit et Vito fit son entrée. Leonardo, toujours dans son hamac, tira le rideau pour observer le nouveau venu. Le rouquin était trempé de la tête aux pieds. Il avait passé deux heures épuisantes à ramer sans relâche. Cette corvée avait été récompensée d'un repas de porc salé particulièrement savoureux et d'une boisson fermentée à base d'amandes et de noyaux d'abricots. Vito savait qu'il dormirait comme une bûche.

— Accrochez-vous, ça va bientôt secouer ! prévint-il ses amis.

— Pourquoi ? interrogea Leonardo d'une voix plaintive. Ça secoue déjà pas mal.

— Dans quelques minutes, toutes les voiles seront déployées, répondit Vito. En plus, comme nous venons de franchir la tige, nous ne sommes donc plus à l'abri des hautes vagues.

— N'est-ce pas dangereux de déployer les voiles en pleine tempête ? interrogea Sandro en sortant la tête de sa cabine. Elles ne vont pas se déchirer ?

— Je suis plus inquiet pour les mâts, affirma l'ancien maraudeur, car ils pourraient se briser. Toutefois, il est tout à fait inutile de tenter de raisonner le capitaine. En fait, il vaut mieux s'abstenir de tout commentaire sur sa manière de naviguer.

Vito se rendit tant bien que mal jusqu'à sa cabine.

— Merveilleux ! s'écria-t-il en voyant l'état de son hamac.

Le phare de Livourne disparaissait tranquillement dans la tempête à l'arrière du *Mandeville*. La nuit était désormais tombée et la caravelle fonçait en direction du nord de la Corse. La mer à l'avant du navire était en furie ; certaines vagues atteignaient plus de sept mètres de hauteur. Une vision cauchemardesque pour tout capitaine normal. Toutefois, cela ne semblait guère émouvoir Christophe Colomb.

— J'ai bien cru qu'on ne s'en sortirait jamais, avoua Juan en montant sur le gaillard d'arrière.

— Nos invités doivent être tout retournés, déclara le capitaine, amusé. C'était une autre belle sortie. Je dois t'avouer que j'étais fatigué de stagner dans ce port. Les prochaines heures ne seront pas une partie de plaisir, mais je te parie qu'on atteindra des records de vitesse.

— Moi, je te parie dix florins que la fille ne tiendra pas sans tout restituer, déclara Juan avec un malin sourire.

Les deux vieux amis ne portaient aucune attention au déluge qui faisait rage autour d'eux. Cette tempête infernale paraissait banale à leurs yeux.

— Tu es trop habile avec les finances pour que je parie avec toi ! plaisanta Christophe.

Kimchi et Alessandro revinrent sur le pont après un repas bien mérité. Kimchi Sun-Sin, un Asiatique d'origine coréenne, était marin depuis plus d'une vingtaine d'années. C'était un atout à bord du *Mandeville.* Sur un navire qui tombe en pièces, un charpentier hors pair s'avère indispensable. L'homme faisait aussi office de marin et de calfat, au besoin. Malgré les sauts d'humeur difficiles à supporter de l'homme, Christophe aimait bien ce Coréen sexagénaire. Alessandro, lui, n'avait pas encore fait ses preuves. C'était le premier grand voyage en mer du gamin. Toutefois, il semblait motivé, ce qui était un excellent début.

— Prends la barre, ordonna Christophe en laissant les commandes à son second, je vais aider les autres à déployer les voiles.

— C'est parti! s'écria joyeusement Juan en prenant place aux commandes.

Les dernières heures avaient été un vrai calvaire pour Leonardo. La tête lui tournait, il avait l'estomac à l'envers et ressentait des vertiges. Les choses s'étaient particulièrement envenimées après le déploiement des voiles. Depuis, le navire était si malmené que Leonardo avait eu de la difficulté à rester dans son hamac. Quelqu'un tira le rideau de sa cabine. Vito venait aux nouvelles.

— Est-ce que ça va mieux? interrogea-t-il en s'approchant.

— Non, gémit l'inventeur en fixant le sol.

— Ne t'inquiète pas pour le plancher. Bien des marins régurgitent lors de leur première tempête. Tu vas vraiment passer un mauvais moment, mais tu finiras par t'habituer. Crois-en mon expérience.

Vito tapota gentiment l'épaule de son ami.

— Ne bouge pas, je reviens tout de suite.

Leonardo n'avait pas l'intention de bouger. Le plus petit mouvement accentuait ses nausées. Quelques minutes plus tard, Vito apporta une couverture.

— Voilà qui devrait te réchauffer un peu, dit-il en emmitouflant le malade. C'est important que tu n'aies pas froid. Essaie de dormir un peu, ça te fera sûrement du bien.

Leonardo ne répondit pas mais hocha la tête. C'était l'effort maximum qu'il pouvait fournir.

— Je suis juste à côté, continua Vito. Tu n'as qu'à crier si tu as besoin de quelque chose.

Vito sortit de la cabine et tira le rideau. Après plusieurs heures d'enfer, Leonardo parvint enfin à s'endormir.

Des cris retentirent. Ils avaient l'air de provenir du pont, mais Leonardo n'en était pas certain. Il leva les yeux au plafond. Sa vision était brouillée. Une forte détonation déchira l'air, suivi d'un bruit semblable à celui d'un vase qu'on aurait lancé contre un mur. L'inventeur tenta de se mettre debout, mais peine perdue. Il n'en avait pas la force. Les cris avaient cessé, un silence parfait régnait désormais à bord du *Mandeville*. Le bateau semblait parfaitement stable. La tempête pouvait-elle être enfin terminée ?

Après un effort surhumain, l'inventeur réussit à se lever. Il ouvrit le rideau et figea sur place, après avoir fait quelques pas. À l'autre bout de la pièce se tenait un garçon que Leonardo connaissait bien : il s'agissait d'Alberto de Corleone. Le jeune homme aux cheveux rasés le fixait d'un regard vide. Il portait la toge de l'atelier. Ses lèvres remuaient, mais il n'émettait aucun son. Le garçon s'était-il secrètement glissé à bord du bateau ? Cela semblait fort peu probable. Alberto avait été emmené par le clergé. En ce moment, le saboteur devait sûrement être détenu sous haute sécurité dans un endroit gardé secret. Après tout, c'était le seul membre de la confrérie de la Table d'émeraude sur lequel le clergé avait pu mettre la main. Malgré tout, c'était bien Alberto qui se tenait à quelques mètres devant lui.

— Mon cher Leonardo ! s'exclama une voix familière derrière l'inventeur.

Quand ce dernier se retourna, il découvrit Warress Ferrazini, l'alchimiste au visage défiguré. Son ancien professeur affichait un sourire lugubre.

— Je crois qu'il est tombé, déclara-t-il sans émotion.

Leonardo tenta de comprendre le sens de ces paroles, mais il n'y parvint pas. L'alchimiste leva une main souillée d'une matière noirâtre semblable à du goudron. Leonardo tenta de reculer, mais Warress fut plus rapide. L'alchimiste lui administra une gifle visqueuse qui sembla le propulser dans les ténèbres.

Leonardo émergea alors brusquement de ses rêveries en s'étalant sur le sol de sa cabine. Warress ne l'avait pas giflé, il était tout simplement tombé de son hamac. Son visage avait heurté les restes dégorgés de son dîner. Son mal de mer lui avait occasionné un mauvais rêve. Le rideau de sa cabine s'ouvrit violemment. Vera regarda avec surprise en direction du plancher. L'inventeur avait honte de l'image qu'il projetait, soit celle d'un garçon couché en position fœtale dans une marre de vomissures. Toutefois, il n'avait pas la force de se relever.

— Oui, confirma Vera en jetant un coup d'œil derrière elle, il est bien tombé.

La tête de Vito apparut dans le cadre de la porte.

— Oh, souffla-t-il, stupéfait, je vais chercher un seau d'eau.

Vito partit quérir de quoi laver le malade. Durant ce temps, Vera aida tant bien que mal Leonardo à se remettre debout. La jeune femme et Vito lavèrent rapidement leur ami, ce qui fut assez dur pour l'orgueil de ce dernier. Ses compagnons l'installèrent ensuite avec douceur dans son hamac.

Leonardo s'endormit aussitôt et ne se réveilla pas avant un long moment.

6
Le calme après la tempête

Cinq jours s'étaient écoulés depuis le départ de Livourne. La tempête avait duré plus de quatre jours, ce qui avait paru une éternité. Depuis la veille, le capitaine permettait aux invités de monter sur le pont. Sandro n'avait pu dissimuler sa joie, car les derniers jours s'étaient avérés d'un ennui mortel. Confiné à l'intérieur de la caravelle, il n'avait même pas pu dessiner. Le navire avait été si malmené qu'il lui avait été impossible de se concentrer. Le seul réconfort qu'il pouvait tirer de la situation était que lui, contrairement à Leonardo, n'avait pas été malade. De plus, il devait bien s'avouer que voir l'inventeur se tordre de douleur avait été assez divertissant. Maintenant que la mer s'était calmée, le peintre pouvait se déplacer librement sur le *Mandeville*, tant qu'il n'importunait pas les membres d'équipage.

Sandro s'était trouvé un endroit tranquille pour se remettre à l'ouvrage. Il s'était assis sur une rambarde de bois située à l'avant du navire et s'adonnait au fusain. Une petite planche de bois lui permettait de dessiner sur ses genoux. C'était loin d'être la meilleure position pour travailler, mais il devrait s'en contenter pour les prochains mois. Un bon vent balayait le pont du *Mandeville*, mais l'élégant pourpoint en cuir qu'il portait le protégeait de la brise fraîche. Sandro n'était pas mécontent d'avoir laissé sa toge à l'atelier. Il avait rarement l'occasion de s'habiller comme un garçon normal. Pourtant, ce n'était pas les vêtements qui lui manquaient. Son père étant un travailleur du cuir, il avait toujours eu amplement de quoi s'habiller. C'était en fait l'un des seuls bénéfices de la profession de son père. De l'avis de l'artiste, le métier de tanneur était bien trop exigeant pour le maigre gain qu'il rapportait.

Le peintre de talent leva les yeux vers les voiles du *Mandeville*. C'était un agréable exercice sur la perspective que de les reproduire fidèlement sur papier. Ce voyage présentait tout de même quelques avantages. Il lui permettait, entre autres, de sortir un peu de son ordinaire. Sandro n'ayant guère voyagé par le passé, c'était donc une toute nouvelle expérience. Et malgré ses appréhensions, la nourriture n'était pas si mauvaise à bord. Mais ce qui lui plaisait par-dessus tout était qu'il n'aurait plus à suivre les ordres d'Andrea Verrocchio pendant un bon moment.

— Sandro, c'est bien ça ? interrogea Alessandro en montant sur le gaillard d'arrière.

Le peintre leva les yeux de son dessin et observa le jeune marin qui approchait. Alessandro devait avoir à peu près son âge. C'était un garçon costaud qui, toutefois, n'avait rien d'un dur à cuire. Ses yeux d'un bleu clair s'agençaient parfaitement à son visage doux et pour le moins sympathique. Sa chevelure châtaine lui arrivait aux épaules. Sandro songea qu'il ferait un excellent modèle pour l'un de ses dessins au fusain. L'habillement du jeune homme était fort simple. Il avait revêtu une paire de chausses de couleur pâle et une chemise bouffante recouverte d'un pourpoint de cuir brun. Son apparence vestimentaire ressemblait donc beaucoup à celle de Vito.

— C'est exact, répondit le peintre, mais tout le monde m'appelle Botticelli. C'est mon nom d'artiste en quelque sorte.

Le marin s'assit lui aussi sur la rambarde, à quelques mètres de Sandro.

— Je connais ton travail, dit-il en souriant, car j'ai visité l'atelier plusieurs fois. J'ai toujours voulu faire partie des élèves d'Andrea Verrocchio. Malheureusement, il n'a jamais voulu me prendre.

Sandro fronça les sourcils, étonné par cette révélation. Mais il est vrai que le directeur de l'atelier avait toujours été très sévère dans son choix d'apprentis, surtout depuis la mort de Donatello.

— Il est difficile d'entrer à l'atelier, commença Sandro en déposant sa planche à dessin, mais il est encore plus difficile d'y rester. Les étudiants qui ne sont pas à la hauteur des attentes de Verrocchio sont rapidement expulsés. Cette année, il en a déjà renvoyé trois. Je ne serais guère surpris qu'il me mette à la porte également un jour, car ce n'est pas l'envie qui lui manque.

— Il serait bien fou d'agir ainsi. Tu es l'un des plus grands talents de Florence. Tu pourrais facilement t'en sortir seul, je crois.

Décidément, Sandro aimait bien la façon de penser du jeune marin. Il était rare qu'il s'entende avec de parfaits inconnus, mais Alessandro pourrait bien être l'exception à la règle.

— C'est gentil de ta part. J'espère toutefois finir ma formation à l'atelier. Mais revenons à toi. Tu as donc décidé de devenir marin ?

Le garçon sourit avant de répondre. De toute évidence, les choses étaient un peu plus compliquées.

— Disons qu'il faut bien faire quelque chose de sa vie, répondit Alessandro en riant. Pas vrai ? Ce n'est certes pas la meilleure des vocations, mais avec un peu de chance, un jour, j'aurai mon propre navire. J'aime bien Christophe. Il est sympathique, mais à mon avis il est légèrement cinglé. Je te parie qu'un jour il voudra traverser la mer qui s'étend au-delà du détroit de Gibraltar. Il est assez fou pour ça !

— J'espère que tu ne seras plus à bord ce jour-là ! plaisanta Botticelli.

En fait, l'idée saugrenue du marin n'était pas aussi insensée qu'elle le paraissait. Vingt ans plus tard, Christophe allait effectivement effectuer cette traversée. De ce voyage périlleux résulterait la découverte de l'Amérique. Mais Alessandro ne ferait plus partie de l'équipage de Christophe à ce moment-là.

Leonardo s'extirpa péniblement de son hamac. La faim le tiraillait sévèrement. Il avait l'impression de ne pas avoir mangé depuis des jours. Vito lui avait bien apporté un bouillon de poulet, mais cela semblait faire une éternité. Vera et l'ancien maraudeur avaient été présents pour lui ces derniers jours. Il avait beaucoup de chance d'avoir d'aussi vaillants compagnons. Leonardo n'avait pour l'instant aucune idée de l'heure qu'il était. Il quitta sa cabine d'un pas lent. À son entrée dans la cuisine, une odeur de porc salé éveilla ses sens. La table qui était clouée au sol regorgeait d'assiettes et de bols garnis de nourriture. Sans hésiter, l'inventeur se jeta sur leurs contenus. Il se gava de viandes salées ainsi que de galettes de pain jusqu'à ce qu'il soit entièrement rassasié. Il enfourna une grande quantité d'anchois, tartinés sur une tranche de pain frais. Il termina son repas avec un grand verre d'eau. Lorsqu'il mit enfin le pied sur le pont, Leonardo constata que le soleil était revenu. Il fit quelques pas avant de s'asseoir sur l'un des quatre canons pour admirer l'horizon. Il n'avait pas mémoire d'avoir aperçu ces armes massives lors de sa dernière visite au port de Livourne. Toutefois, il pouvait bien se tromper ; après tout, il n'était pas monté à bord la première fois qu'il avait vu le *Mandeville*. Il s'agissait de pièces d'artillerie particulièrement redoutables pour un bateau de commerce. Leonardo prit une grande respiration. L'air marin le revigorait, ce dont il avait bien besoin. Au-dessus de sa tête, les voiles déployées du *Mandeville* s'agitaient sous l'effet du vent.

— Hé ! s'écria une voix en provenance du gaillard d'arrière.

Vito glissa sur la rampe de l'escalier qui descendait sur le pont. Vera le suivit en empruntant l'escalier de façon plus conventionnelle. Juan, qui était à la barre, salua Leonardo d'un signe de la main.

— Tu commences enfin à reprendre des forces, Leo, se réjouit Vito. Nous étions impatients de te revoir sur pied.

— Vera et Vito, je ne vous remercierai jamais assez, dit l'inventeur. Je ne sais pas ce que j'aurais fait sans vous.

Ses deux amis, en plus de l'avoir lavé le premier jour, étaient ensuite venus à tour de rôle le nourrir et lui tenir compagnie. Il n'aurait jamais imaginé que le mal de mer puisse être aussi pénible. Il n'avait rien pu ingurgiter les deux premiers jours, et ses nuits avaient été peuplées de cauchemars. Après avoir été longtemps confiné dans sa cabine, le fait de se trouver sur le pont lui donnait presque l'impression de renaître.

— Les amis sont là pour ça, déclara Vera en lui ébouriffant les cheveux.

— Dites-moi, avons-nous beaucoup progressé ? s'informa Leonardo.

— Énormément ! s'exclama Vito. Nous sommes déjà parvenus à la péninsule ibérique. Vois-tu l'île là-bas ?

Leonardo tourna son regard vers le large. Il aperçut une île cerclée d'une eau cristalline d'un bleu pur. Les berges étaient en grande partie formées de falaises.

— Oui, répondit Leonardo sans quitter le monticule des yeux.

— C'est l'île de Majorque, annonça le jeune Pazzi. Nous avons parcouru plus de huit cents kilomètres en cinq jours.

— Incroyable ! clama Leonardo, surpris. Alors nous ne sommes plus très loin de l'Espagne ?

— En effet, acquiesça Vito. La moitié du chemin qui nous séparait du détroit de Gibraltar a été franchie. Nous avons toujours le vent en poupe, donc les choses ne pourraient aller mieux.

— Où est Botticelli ? interrogea l'inventeur en balayant le navire du regard.

— Il joue les acrobates ! se moqua Vera en désignant le sommet du grand mât.

Leonardo regarda le poste d'observation de la vigie. Cet observatoire était appelé nid-de-pie ou encore gabie, en référence à sa forme. Sandro s'y trouvait en compagnie d'Alessandro. Les deux garçons discutaient en observant la mer. « C'est plutôt curieux, songea Leonardo, car Sandro n'est pas du genre à socialiser généralement. »

— Oh, il est téméraire, ce jeune Botticelli ! s'exclama-t-il.

Les trois amis éclatèrent de rire.

Christophe Colomb avait les yeux rivés sur les cartes réalisées par Juan de la Cosa, le cartographe du *Mandeville*. Il était assis dans une petite pièce sans fenêtre qui contenait une grande table. Cette pièce se trouvait juste en face de sa chambre, sous le gaillard d'arrière. C'était l'endroit où il organisait ses itinéraires et consultait ses cartes, sa cabine étant trop petite pour accomplir ces tâches. Celle-ci n'était guère plus grande que celle de ses invités. La raison de ce logis restreint s'expliquait par l'arrivée d'Helmet Jones, un excellent médecin. Plus tôt cette année, Christophe avait demandé à Kimchi d'ériger une division afin de séparer sa cabine en deux. C'était la seule solution pour profiter de la présence d'un médecin à bord ; aucun disciple d'Esculape n'aurait accepté de joindre l'équipage sans le confort d'un appartement personnel décent et l'assurance d'un salaire confortable. L'homme d'origine britannique prenait place de l'autre côté de la grande table et s'adonnait à la lecture. Christophe détestait particulièrement se trouver en présence d'Helmet lorsque celui-ci lisait. En effet, le médecin – un maigrichon d'une quarantaine d'années à l'imposante barbe blonde – ne pouvait s'empêcher d'approuver chacune des phrases qu'il parcourait.

— J'ai bien l'intention de visiter les bibliothèques de Chine, déclara Helmet en quittant son livre des yeux.

Helmet parlait avec un lourd accent anglais, mais il s'exprimait tout de même de façon compréhensible. Le Britannique maîtrisait de nombreuses langues. Il connaissait assez bien le français, l'italien, l'espagnol et le catalan, ce qui constituait un atout en mer. Il était plus facile de communiquer avec les autres navires si le besoin s'en faisait sentir.

— Officiellement, dit Christophe sans quitter ses cartes des yeux, nous allons en Chine pour chercher des vivres rares ainsi que pour parfaire nos cartes. Il n'est pas question de visiter toutes les bibliothèques du pays. Nous allons remplir la cale de riz, de fèves de soya ainsi que d'épices.

— Tout cela ne m'intéresse guère. Mais vous ne verrez certainement aucun inconvénient si nous faisons quelques détours.

Christophe tourna un regard sombre vers le médecin.

— Lorsque nous arriverons en Chine, vous aurez un mois pour faire tout ce qu'il vous plaira, rétorqua Christophe sèchement. Toutefois, soyez de retour à bord du *Mandeville* le jour du départ, sinon c'est avec grand plaisir que je vous laisserai dans ce pays.

Bien entendu, le capitaine ne pensait rien de ce qu'il venait de dire. La présence du médecin était capitale sur le navire.

— Encore une chose, continua Christophe en pointant un index accusateur vers son interlocuteur. Cette fois, ne nous obligez pas à infiltrer une prison pour vous libérer.

Depuis son arrivée, le médecin avait causé un lot d'ennuis à l'équipage de la caravelle, ce qui exaspérait fortement le navigateur.

— Je n'y étais pour rien, se défendit Helmet avant de retourner à sa lecture.

Le capitaine en avait assez; un peu d'air lui ferait du bien. Il sortit sur le pont.

À l'arrivée de Christophe sur le pont, Leonardo observait silencieusement Vito qui expliquait à Vera la façon de procéder pour escalader le mât de misaine. Pour l'instant, l'inventeur ne se sentait pas d'attaque pour de tels exploits.

— Vous semblez avoir repris des forces, dit Christophe en s'approchant.

Le capitaine paraissait être sur ses gardes, car il ne quittait pas l'horizon des yeux. Son regard attentif était à la recherche de voiles hostiles. Toutefois, pour le moment, la mer semblait inoccupée.

— Je me porte mieux, confirma Leonardo en se levant. Les derniers jours ont été difficiles.

Le jeune Colomb s'approcha et passa doucement sa main sur l'un des canons du pont. C'était une arme massive qui devait peser au moins une tonne.

— Je ne me rappelle pas avoir vu ces armes lors de notre première rencontre, commenta Leonardo. Les avez-vous achetées récemment ?

— En effet, répondit Christophe. La mer devient un endroit bien dangereux, surtout pour une petite caravelle commerciale comme le *Mandeville.* Nous intéressons particulièrement les chasseurs de navires. Vous savez, attraper un navire comme celui-ci est une façon facile de faire beaucoup d'argent. Ces canons peuvent décourager les moins braves d'entre eux.

— Je vois, souffla Leonardo d'un air pensif. Au fait, dites-moi, pour quelle raison avez-vous baptisé votre navire le *Mandeville* ? Est-ce en l'honneur de l'explorateur Jean de Mandeville ?

Les yeux du capitaine brillèrent d'étonnement. Juan et lui avaient effectivement baptisé le navire en hommage à ce grand voyageur.

— En effet, mon cher ami ! Je suis un passionné de son ouvrage, le *Livre des merveilles du monde*, qu'il a rédigé à la suite de ses surprenantes aventures.

— Je l'ai lu avec beaucoup d'intérêt moi aussi.

Christophe était ravi d'avoir trouvé quelqu'un avec qui discuter de littérature.

— Bon ! lança-t-il joyeusement. Mon cher ami artiste, permettez-moi de vous faire visiter mon navire, ou plutôt celui de Juan. Pour tout vous avouer, celui-ci est beaucoup plus habile que moi avec l'argent.

C'était surprenant que, malgré son jeune âge, Juan possède cet imposant voilier. C'était un vieux navire, certes, mais quand même. Le capitaine avait raison, le jeune homme devait être très adroit en finance.

— Je vous suis, capitaine, dit Leonardo avec enthousiasme.

— Laissez-moi tout d'abord vous décrire brièvement le *Mandeville*. C'est une caravelle à trois mâts. À l'avant du navire, il y a le mât de misaine, suivi ici du grand mât et, enfin, sur le gaillard d'arrière se trouve le mât d'artimon. Le *Mandeville* est équipé de trois voiles latines installées à chacun des mâts.

Leonardo observa avec attention les énormes voiles de forme triangulaire, qui étaient tout simplement splendides.

— Nous avons aussi le foc, continua Christophe en montrant du doigt l'avant du navire. Il s'agit de la voile triangulaire qui rejoint le mât de beaupré au mât de misaine.

Le mât de beaupré se trouvait à la proue du navire. Il était incliné vers l'avant dans un angle d'environ quarante degrés. Cette poutre de bois mesurait approximativement le tiers de la longueur du grand mât.

— Il nous arrive d'installer le perroquet de beaupré, une voile qui se positionne sous le mât de beaupré. En fait, nous ne l'utilisons qu'en de très rares occasions, par exemple lorsque nous sommes pris en chasse et qu'il nous faut plus de vitesse. Dans des situations désespérées, en fait.

La plupart des termes échappaient à l'inventeur, mais cela n'avait pas beaucoup d'importance. Après tout, Leonardo ne comptait pas devenir marin.

— Sinon, vous avez bien entendu remarqué nos deux barques, *Thalie* et *Aglaé*.

Leonardo fronça les sourcils.

— Vous donnez des noms à vos embarcations de secours ?

— Effectivement. C'est plus facile de les différencier de cette façon.

Leonardo ne voyait pas en quoi cela était plus simple, puisque les deux barques étaient en tous points similaires. Toutefois, il s'abstint de passer une remarque.

— Maintenant, allons faire un tour à l'intérieur, suggéra Christophe.

Les deux jeunes hommes descendirent par l'écoutille et entrèrent dans la salle à manger que Leonardo avait déjà vue.

— Ici, c'est la salle à manger, dit le capitaine. Parfois, il nous arrivera de manger dans mes appartements, car j'ai une table plus convenable que celle-ci. Toutefois, c'est ici que vous prendrez vos repas la majeure partie du temps. Vous connaissez votre cabine dans tous ces moindres recoins, je parie.

— En effet, reconnut Leonardo, amusé.

— Passons donc à la chambre de l'équipage, proposa Christophe.

Il ouvrit la porte qui se trouvait en face de celle de la pièce où se trouvaient les cabines. La chambre était donc située dans la proue du navire. De ce fait, elle était de forme triangulaire. C'était une pièce étroite et très sombre. Plusieurs hamacs avaient été suspendus de chaque côté des parois.

— Normalement, les membres d'équipage occupent les cabines, expliqua le capitaine. Cependant, puisque nous avons présentement des invités, ils couchent dans cette pièce.

Des filets d'eau coulaient à travers les murs de bois de cette pièce froide et humide. Il paraissait invraisemblable qu'on puisse y fermer l'œil. Pourtant, Kimchi dormait paisiblement dans l'un des hamacs. Le Coréen étant de corvée de nuit, il passait donc la majeure partie de ses journées à se reposer.

— Cet endroit peut paraître invivable, poursuivit tranquillement Christophe, mais nous avons tous connu bien pire. Si vous aviez mis les pieds dans un navire qui transporte du bétail, vous comprendriez. J'ai vécu six mois à bord d'une caraque qui transportait des bœufs en Espagne. Un vrai enfer !

Il referma la porte et fit quelques pas. Il saisit une lampe à huile avant d'ouvrir une trappe dans le plancher. Celle-ci se trouvait à quelques mètres de la table à manger.

— C'est ici que nous entreposons les vivres et nos cargaisons, dit le capitaine en commençant à descendre dans la cale, ainsi que la poudre noire.

Leonardo le suivit et s'engagea prudemment dans l'échelle de bois. Le plancher de la cale baignait dans l'eau. La marchandise était déposée sur des palettes de bois qui la protégeaient de l'élément liquide. Les trente mètres d'entreposage étaient utilisés à leur maximum. L'ensemble des vivres et de la poudre était contenu dans de gros barils en bois. Il y avait même quelques cages contenant des poules et, bien entendu, des dizaines de tonneaux d'eau douce.

— Nous avons ici assez de nourriture pour tout le périple, affirma le capitaine. Juan est aussi très habile pour ce genre de calcul. À dire vrai, je n'entreprendrais aucun voyage sans lui.

— C'est un compagnon indispensable, déclara Leonardo bien sincèrement.

Lui-même ne parviendrait jamais à organiser une aventure comme celle-ci. Il s'agissait d'une immense responsabilité, car le moindre détail était essentiel au bon déroulement d'une traversée.

— Maintenant, allons explorer les cartes ! s'exclama Christophe. Il me semble important que vous soyez au fait de notre parcours.

On avait vaguement expliqué à Leonardo que le *Mandeville* longerait l'Afrique jusqu'à la mer d'Oman. Il s'engagerait ensuite sur le golfe du Bengale, emprunterait le détroit de Malacca et arriverait enfin en mer de Chine méridionale. C'était tout ce que Leonardo savait, ce qui n'était tout de même pas si mal. Toutefois, il ne pouvait nier que bien des données lui échappaient encore.

— Je vous suis, affirma d'un ton enjoué l'inventeur. Il me tarde d'en apprendre davantage !

7
Contes et légendes

Leonardo se trouvait dans sa cabine. Il avait enfin pu ranger un peu et s'installer convenablement. Il réservait ses après-midi à la lecture. C'était le meilleur moment de la journée pour s'adonner à cette activité sans être dérangé, car tous les autres passagers étaient sur le pont. Pour l'instant, ce voyage se révélait de vraies vacances pour l'inventeur. Il avait tout son temps pour œuvrer à ses projets. Il avait même commencé les plans d'un nouvel appareil, l'Aves 4. Oui, vraiment, le voyage ne pourrait mieux se dérouler.

Cinq jours s'étaient écoulés depuis que Leonardo avait remis les pieds sur le pont. La mer avait enfin retrouvé son calme. Le vent s'était assagi lui aussi, ce qui avait eu pour résultat de ralentir la vitesse de la caravelle. Le *Mandeville* avait parcouru un peu moins de cinq cents kilomètres depuis l'île de Majorque à une vitesse de deux nœuds, soit environ quatre kilomètres par heure. Pour l'instant, la caravelle longeait paisiblement le sud de l'Espagne. Dans quelques jours, elle atteindrait le détroit de Gibraltar, autrefois appelé les Colonnes d'Hercule. Il était fort dommage que l'Aves 3 ait terminé sa course contre un mur, car le voyage actuel aurait été beaucoup plus rapide en volant.

Malheureusement, l'adolescent n'était pas parvenu à obtenir de bons résultats jusqu'à présent. Dès son retour à Florence, il comptait bien se remettre au travail. Mais à plus court terme, il devrait entreprendre les fusains qu'avait exigés Andrea Verrocchio. Toutefois, cela pouvait attendre le voyage de retour. Pour le moment, il avait l'intention de se consacrer à la vingtaine de livres qu'il avait apportés à bord.

— Veux-tu bien arrêter de bouger, Vito ! implora Sandro.

Vito, Vera et Alessandro avaient accepté de poser pour l'un des fusains que devait réaliser Sandro Botticelli. Ils se trouvaient tous à l'avant de la caravelle. Sandro était adossé au mât de misaine et tentait de reproduire le plus fidèlement possible la scène. Il avait demandé à Vito de pointer son index vers l'horizon pendant qu'à sa gauche Vera et Alessandro regardaient ensemble dans la direction visée. Contrairement à la peinture à l'huile, le fusain ne laissait pas place à l'erreur. En peinture, il était beaucoup plus aisé de corriger une maladresse. Le peintre préférait de loin la peinture à ce griffonnage inutile. De plus, il avait un mal de chien à représenter fidèlement les visages.

— Je ne bouge pas ! s'écria Vito. C'est le bateau qui ne veut pas arrêter de tanguer, ajouta-t-il d'un air taquin.

Sandro regarda la chevelure rousse de l'ancien maraudeur. Les cheveux avaient été ramenés vers l'arrière et rassemblés dans une tresse. Le dessinateur reporta son attention sur son bâton de fusain ; celui-ci était trop large pour reproduire les détails. Botticelli frotta le fusain sur sa planche de bois jusqu'à ce que l'extrémité soit bien pointue, puis il reprit le travail. Il était évident que la personne la plus difficile à dessiner serait Vera : elle était tout simplement trop belle.

— Je commence à avoir mal au bras, se plaignit Vito. As-tu bientôt terminé ?

— Patience, j'aurai terminé dans quelques heures à peine, répondit malicieusement Sandro.

Un peu plus loin, Christophe était à la barre du *Mandeville* et fixait le large d'un air absent. Les choses semblaient se dérouler assez bien. Les invités se plaisaient à bord, le vent soufflait dans la bonne direction et le bateau avait pris une bonne avance sur l'horaire prévu. Toutefois, Christophe n'aimait pas quand les choses allaient trop bien, car il était convaincu qu'on finissait tôt ou tard par en payer le prix. Comme le disait si bien Kimchi : « La mer donne et reprend. »

La nuit était tombée sur la Méditerranée, mais le pont du *Mandeville* était loin d'être tranquille. L'ambiance était à la fête. Tout l'équipage, excepté Kimchi qui était de vigie, était réuni pour une petite soirée spéciale en l'honneur des invités. Cette soirée avait débuté plus tôt avec un repas savoureux dans les appartements du capitaine. Tous avaient bu une excellente boisson fermentée qui les avait rendus d'humeur joyeuse – même Sandro, ce qui était surprenant. Ensuite, ils avaient placé en cercle des tabourets de bois sur le pont avant d'y prendre place. L'endroit était éclairé par plusieurs lampes à huile disposées un peu partout.

Christophe revint de ses appartements d'un pas joyeux. Il tenait un vieux psaltérion à archet. Il s'agissait d'un petit instrument de musique de forme triangulaire, une sorte de violon rudimentaire.

— Au fait, Vito, commença Christophe d'un ton neutre, Amedeo s'est noyé dans la mer Égée il y a quelques mois. Je crois avoir oublié de te le dire. Bref, je te refile son psaltérion. Il aurait sûrement voulu que l'objet te revienne.

— C'est bien gentil de sa part ! affirma Vito en s'emparant de l'instrument. De toute façon, il ne savait pas en jouer ! Cependant, la nouvelle de sa mort m'attriste.

— Je te comprends, répondit Christophe qui n'avait manifestement pas envie de s'attarder sur le sujet.

Marin imprudent, Amedeo avait eu un très mauvais penchant pour l'eau-de-vie. Mais la mort faisait partie du quotidien des marins. La mer était dangereuse, ce n'était un secret pour personne.

— Tu devrais nous improviser une petite chanson, lança Christophe à l'adresse de Vito.

Leonardo jeta un coup d'œil à son ami. Celui-ci semblait gêné.

— Allez ! encouragea Vera en souriant.

Sandro se contentait d'observer l'ancien voleur en affichant un sourire en coin.

— Tu étais pourtant doué à l'époque, Vito ; aurais-tu perdu ton talent ? interrogea Juan avec un sourire.

Vito céda sans se faire prier davantage.

— Je veux bien chanter, mais quelqu'un devra improviser quelques notes.

Leonardo décida de se porter volontaire. Il leva la main.

— Je sais jouer, déclara-t-il. Je ferai de mon mieux pour te suivre.

— Excellent ! s'exclama Christophe en se frottant les mains.

— Je n'étais pas au courant que tu maîtrisais le psaltérion, s'étonna Vera.

— Je sais pratiquement jouer de tous les instruments, avoua Leonardo avec un air humble. Mon père m'a forcé à suivre bien des formations. Allons-y, Vito !

Il prit l'instrument et joua quelques notes.

— Soyez indulgents, mes amis, dit Vito, car je vais vous interpréter une chanson tout à fait improvisée.

— J'ai envers toi les plus grandes attentes, dit Christophe le plus sérieusement du monde. J'espère que tu ne me décevras pas.

Le capitaine ne put réprimer son sourire plus longtemps.

— Bon, je me lance ! annonça Vito.

Il s'éclaircit la voix. Leonardo observait son ami, attendant les premières phrases pour s'ajuster. Le rouquin se mit à chanter d'une voix étonnamment mélodieuse.

D'un sourire parfumé d'émotion
Mon jeune amour m'a fait promettre de revenir
Sur ce bateau qui fuit la terre qui a vu naître Alighieri
Pour fouler la terre du pays natal de ma chérie
Conduit par le vent, je filerai sur la Méditerranée
J'affronterai le gosier étroit du détroit
Me frotterai à l'Afrique jusqu'à la mer d'Oman
Où je verrai les arbres-champignons de l'île de Socotra
Je traverserai les belles Maldives et leurs eaux bleues
Je voyagerai de mer en mer jusqu'à destination
À mon arrivée en Chine, je ferai ce qui est bon
Je feindrai de me passionner pour l'art chinois
Lorsque la cale sera bien remplie
Et les deux artistes bien instruits
Je reviendrai ensuite sans hésitation
Et je retrouverai ma belle chérie

— Bravo ! s'exclama Christophe en applaudissant.

Leonardo déposa son instrument. Il s'était plutôt bien débrouillé.

— J'ai connu pire, affirma Sandro. Par contre, je dois avouer que j'ai déjà entendu plus harmonieux.

— Essaie donc de faire mieux alors, le défia Vito.

— Je n'ai pas le talent pour te concurrencer, répondit Sandro. Je m'avoue vaincu.

— Seigneur, je n'aurais jamais cru entendre ça un jour ! déclara Vera en ébouriffant vigoureusement la courte chevelure du peintre.

Sandro Botticelli ne put s'empêcher de rougir. Il était plutôt rare que Vera lui témoigne une marque d'affection. Leonardo et Vito parurent tous deux amusés par la situation.

— Il serait approprié de raconter une légende, avança Vito. Christophe, tu sembles le plus indiqué pour cette tâche.

— Puisque tu as chanté pour nous, cela me fait grand plaisir d'accepter ta proposition, formula le capitaine.

Alessandro, qui se trouvait à gauche de Leonardo, siffla sa joie et tapa des mains. Leonardo songea que le jeune marin s'enchantait d'un rien. Mais tout comme Botticelli, il appréciait bien la recrue. En fait, il était difficile de ne pas aimer Alessandro.

— Je vais donc vous raconter l'histoire du capitaine Maurizio Vénétie. C'était un homme téméraire comme il ne s'en fait plus et, surtout, la dernière personne à avoir aperçu le *Léviathan*.

— Le monstre marin ? questionna Leonardo qui en avait entendu vaguement parler.

— C'est un monstre, effectivement, confirma Christophe en fixant Leonardo, mais il n'est pas fait de chair. Il s'agit de la plus grosse caraque ayant jamais navigué. Elle posséderait plus d'une trentaine de canons. Au dire de Maurizio, ses voiles seraient rouge sang et des centaines d'hommes seraient pendus à ses cordages.

De plus, son équipage ne serait pas formé d'hommes, mais de créatures faites de fer. Le pont du *Léviathan* serait constamment consumé par les flammes, sans que le navire coule pour autant. Certaines légendes vont même jusqu'à dire que le *Léviathan* serait la porte qui relie notre monde aux enfers.

— C'est un peu n'importe quoi cette histoire ! se moqua Sandro.

Christophe tourna des yeux sévères vers le peintre.

— Cette histoire est si fabuleuse qu'elle ne peut qu'être vraie.

— Qu'est-ce que vient faire le capitaine Maurizio Vénétie dans cette légende ? interrogea Leonardo pour détourner l'attention de Christophe de Botticelli.

— La caravelle de Maurizio, reprit le capitaine, était en bordure de l'île de Karpathos lorsque l'équipage aurait aperçu une colonne de fumée à l'horizon. Ce nuage était d'un noir de charbon ; c'était comme si une ville entière était la proie des flammes. L'événement était des plus insolites puisqu'il n'y avait aucune terre à moins de cinq cents kilomètres dans cette direction. C'est au moment où Maurizio comprit que quelque chose n'allait pas que le navire légendaire apparut à ses yeux. Ce dernier approchait à grande vitesse, malgré que cela fût impossible : c'était le calme plat et la mer était lisse comme un miroir. Sans vent, impossible pour un bateau d'avancer comme le faisait le *Léviathan*.

D'après Leonardo, il était sûrement possible de faire avancer un bateau sans vent et sans rames. Il comptait d'ailleurs se pencher sur la question bientôt.

— Pourtant, le navire avançait toujours. Il laissait derrière lui une traînée de cendres empoisonnées. Son pont était la proie des flammes, exactement comme les légendes le racontaient. À ce moment, il était évident que ce monstre allait frapper.

— Est-ce que Maurizio a tenté de l'attaquer? interrogea Alessandro.

— Il aurait bien voulu, dit le capitaine, car c'était un homme courageux. Toutefois, il lui était impossible de se mettre en position de combat en l'absence de vent. Le *Léviathan* a foncé sur la caravelle comme une bête folle. En moins de deux minutes, l'ennemi avait fait feu des dix-huit canons se trouvant sur son flanc gauche. Une attaque fatale pour un bateau comme celui de Maurizio.

— Donc, ce navire possédait trente-six canons! s'exclama Alessandro. Il est impensable qu'un monstre aussi terrifiant puisse habiter les mers. Comment le capitaine a-t-il pu s'en sortir?

— D'après ce que l'on raconte, reprit le jeune Colomb, Maurizio se serait jeté par-dessus bord. La panique se serait emparée de lui lorsqu'il aurait réalisé qu'il allait se noyer, mais des néréides seraient venues à son secours. Les déesses des mers l'auraient jeté sur la berge de l'île Karpathos avant de disparaître dans la mer.

— Tout cela me paraît trop fantastique, commenta Sandro.

— Je ne peux qu'appuyer le jeune peintre, déclara Helmet en hochant la tête. Je ne crois guère aux sirènes.

Le médecin n'aimait pas ce genre d'histoires extravagantes. Il préférait les faits prouvés qui étaient le fruit de recherches approfondies. À ses yeux, le reste était dénué de toute valeur.

Ignorant totalement Helmet, Christophe s'adressa à Botticelli :

— En naviguant, mon cher Sandro, j'ai appris une chose importante à propos des légendes.

— Laquelle ? demanda le peintre.

— Elles contiennent toujours des éléments véridiques. Je ne crois pas que le *Léviathan* puisse naviguer sans vent, mais je suis certain qu'il existe.

8
La vie à bord

Épée à la main, Leonardo se tenait debout sur le pont, l'air concentré. Depuis peu, il attachait ses cheveux en queue de cheval. Selon les dires de Vito Pazzi, c'était la coiffure classique de tout bon marin. Sandro Botticelli se trouvait à quelques mètres de lui, l'air tout aussi intense. Les deux étudiants de l'atelier Verrocchio profitaient de l'après-midi ensoleillé pour s'entraîner à l'épée. Juan se trouvait à la barre et ne faisait guère attention aux garçons. Par contre, Alessandro, qui se trouvait au sommet du grand mât, jetait un œil curieux vers le pont de temps à autre. Deux jours avaient passé depuis la soirée sur le pont. Le *Mandeville* arriverait bientôt en vue du détroit de Gibraltar et quitterait ainsi la Méditerranée.

— J'espère, da Vinci, que tu t'es entraîné depuis notre dernier combat, dit Sandro sur un ton moqueur. Pour ma part, j'ai appris quelques nouveaux mouvements.

Leonardo plaça son épée en position de combat.

— Tu parles trop, Botticelli, répliqua-t-il. Battons-nous !

— C'est parti ! Je te laisse l'honneur de la première attaque.

— Mauvaise idée ! lança Leonardo en s'avançant vers son adversaire.

Vito était assis dans l'escalier qui menait au gaillard d'arrière et regardait la scène. Les combats opposant Leonardo et Sandro étaient toujours particulièrement divertissants. Les cheveux du peintre avaient bien repoussé. Dans quelques mois, cette humiliation serait de l'histoire ancienne, sauf si quelqu'un peignait une toile sur laquelle Sandro apparaissait chauve. C'était l'un des projets que Leonardo comptait entreprendre dès son retour à Florence.

L'attaque de l'inventeur tardait ; il ne semblait guère pressé d'entamer le combat.

— Qu'est-ce que tu attends ? s'impatienta Botticelli. Le seizième siècle ?

Leonardo se lança sur Botticelli en écartant les jambes et en balançant le haut du corps vers l'avant. Il dirigea son épée vers le torse de Sandro. Comme il s'y attendait, Sandro évita le coup sans difficulté. Les deux garçons avaient convenu de mettre un morceau de bois à l'extrémité de chacune de leur épée ; d'après eux, cette légère précaution serait suffisante. Sandro tourna sur lui-même et riposta rapidement. Il dirigea son attaque vers la tête de son adversaire. Leonardo fit un bond et culbuta hors de la portée de l'arme de Botticelli.

— Oh, s'exclama Sandro en tournant les talons pour faire face à son assaillant, tu as fait quelques progrès !

— En effet, souffla Leonardo en se remettant en position d'attaque. Je me suis entraîné à culbuter avec mon arme. Peux-tu faire mieux ?

Sandro observa le pont avec attention. Il avait une idée derrière la tête.

— Leonardo, ouvre bien les yeux ! cria-t-il avec un air de défi.

« C'est la première fois que Sandro m'appelle par mon prénom », songea Leonardo, surpris.

Le peintre de talent courut vers le grand mât à toutes jambes. Il bondit à environ un mètre du pilier de bois puis s'appuya sur celui-ci pour se propulser en direction de son adversaire. Durant un bref instant, qui parut figé dans le temps aux yeux de Leonardo, Sandro tournoya dans les airs dans une chorégraphie qui semblait parfaitement contrôlée. Son épée fendait l'air en tournoyant. Quand le peintre posa les pieds par terre, il pivota sur lui-même et braqua son arme sur son adversaire.

Le morceau de bois à l'extrémité de son épée était appuyé contre le front de Leonardo.

— Je te lèverais mon chapeau si j'en avais un, affirma Leonardo, vaincu.

Sandro baissa son épée, satisfait de sa prouesse acrobatique. Impressionné, Vito siffla ; Botticelli savait bouger admirablement.

Christophe, qui se trouvait sur le seuil de la porte qui menait à ses appartements, applaudit brièvement. Il avait assisté à toute la scène.

— Ce n'était pas mal, commença tranquillement le capitaine, mais je peux faire mieux. J'irais même jusqu'à dire qu'il me serait facile de vous vaincre tous les deux.

— Impossible ! dit Sandro, méprisant.

— Christophe est particulièrement adroit, avertit l'ancien maraudeur, toujours assis dans l'escalier.

Sandro fusilla du regard Christophe Colomb. Ce dernier ne possédait pas un énorme gabarit ; il était même plutôt maigrichon. Affichant un sourire confiant, Christophe fixa le peintre.

— Si j'étais à votre place, s'écria Alessandro du sommet du grand mât, je me résignerais. Je connais bien le capitaine. Il ne sait pas quand s'arrêter. Il vous mettra en pièces !

— Nous verrons bien, déclara Botticelli en positionnant son épée.

Sandro ayant décidé pour lui, Leonardo n'avait d'autre choix que de participer au combat. Botticelli vint lui chuchoter à l'oreille :

— Il faut l'immobiliser dans un coin. Ainsi, il serait plus facile de l'avoir.

Christophe sortit son arme de l'étui de cuir qu'il portait à la ceinture. De sa main gauche, il empoigna sa petite dague qu'il fit tourner rapidement dans sa main. Il se rendit ensuite tranquillement à l'avant du navire, avant de faire face à ses deux adversaires.

— Le saviez-vous ? La dague est une arme très répandue en escrime. Je trouve surprenant que vous n'en possédiez pas. C'est une arme secondaire qui permet de parer bien des attaques. Dans un vrai combat, la dague s'avère indispensable.

— Très intéressant ! émit Botticelli d'un ton sarcastique.

— Alors, c'est parti ! cria Christophe en se jetant sur le duo.

Les deux artistes reculèrent en voyant le capitaine opter pour cette attaque féroce. Leonardo fut pris par surprise par la première attaque de leur adversaire. Christophe lui porta un puissant coup de pied en plein torse qui le propulsa vers l'arrière. L'inventeur termina sa course le dos contre l'escalier, tout près de Vito qui regardait la scène avec étonnement. L'adolescent se remit debout et bondit en direction du combat. Sandro parait les nombreuses attaques de son adversaire avec difficulté. Le capitaine était beaucoup plus rapide ; Botticelli ne pourrait tenir bien longtemps.

Lorsque Leonardo revint à l'attaque, Christophe lui tournait le dos. Mais le navigateur se retourna vivement et désarma l'inventeur. L'épée de Leonardo atterrit de l'autre côté du pont.

— Fini de jouer ! s'exclama Christophe sérieusement.

Par une manœuvre trop rapide pour que Botticelli puisse la voir venir, le capitaine le désarma également. Il le poussa ensuite sur le sol d'un énergique coup de botte. Avec son pied, il maintint son adversaire allongé par terre. Leonardo allait reprendre son épée lorsque la dague de son adversaire déchira l'air. Elle s'enfonça dans le bois du pont, maintenant ainsi l'arme clouée au sol.

— Je vous ai vaincus tous les deux, proclama Christophe en dirigeant la pointe de l'épée de Sandro à un centimètre du visage de celui-ci.

Leonardo arracha la dague du sol et reprit son épée.

— C'était une belle démonstration, dit l'inventeur, reconnaissant ainsi la victoire de son adversaire.

Sandro repoussa Christophe et se leva. Avec une expression meurtrière dans les yeux, il fit face au capitaine.

— Un coup de chance, voilà tout ! souffla-t-il en reprenant son arme.

Particulièrement mécontent, le peintre de talent disparut par l'écoutille en murmurant des propos peu charitables à l'égard du capitaine.

— C'était un excellent combat, déclara Vito de l'escalier.

Alessandro et Kimchi étaient de corvée de nettoyage cet après-midi-là. Cela voulait dire qu'ils devaient se mouiller. Une fois par mois, les marins devaient récurer la coque du navire pour y enlever tous les coquillages et les végétaux collés dessus. Il fallait exécuter ce travail pour empêcher que la coque ne soit envahie par les mollusques. Lorsqu'un navire se retrouvait dans cet état, sa vitesse de croisière en était fortement ralentie et sa coque risquait de pourrir. Christophe tenait à ce que le *Mandeville* soit toujours dans un état irréprochable.

Leonardo regardait les deux hommes travailler et en profitait pour pêcher un peu. C'était loin d'être son activité préférée, mais au moins cela lui permettait de passer un peu le temps. Sa canne n'était en fait qu'une longue tige de bois à laquelle il avait attaché une corde agrémentée d'un appât. Il doutait fort d'attraper quelque chose, mais cela n'avait guère d'importance pour lui. La journée étant ensoleillée et la mer raisonnablement tranquille, il aurait été fou de rester cloîtré dans sa cabine.

Alessandro jaillit de l'eau et reprit son souffle juste sous les pieds de Leonardo. Puisque le navire avançait à vive allure, le jeune marin s'était attaché une corde autour de la taille. Le lien avait été fixé à la rambarde du navire.

— Mon côté de la coque est terminé ! s'exclama la recrue, essoufflé.

Leonardo laissa sa canne à pêche sur le pont et aida le marin à remonter à bord.

Ce dernier était brave de se mouiller de la sorte. En effet, l'eau semblait rudement froide. Alessandro agrippa une couverture chaude qui se trouvait sur l'une des deux barques du *Mandeville*.

— Alors, cette plongée n'a pas été trop pénible ? questionna Leonardo.

— Pas le moins du monde. C'était même assez rafraîchissant. Et la coque est impeccable !

Ce garçon semblait toujours d'excellente humeur. Leonardo aurait voulu avoir un aussi bon caractère.

— Tu as attrapé quelque chose, annonça sur un ton tranquille Alessandro en pointant l'index vers la canne qui remuait.

Leonardo ramena la corde rapidement vers lui. Il fut tenté de la relâcher lorsqu'il aperçut la créature qui s'y était prise. Ce n'était pas un poisson normal : ses dents étaient longues et acérées et sa peau était entièrement dépourvue d'écailles. Il ne possédait pas de nageoires pectorale et ventrale. En fait, il semblait s'agir d'une sorte de serpent de mer.

— Oh, tu as pris une petite murène ! s'enthousiasma Alessandro.

La porte sous le gaillard d'arrière s'ouvrit aussitôt. Helmet Jones en jaillit, les yeux brillants. Le médecin nourrissait une passion particulière pour les créatures des mers. Il espérait même un jour publier un ouvrage sur le sujet.

Le marin aida l'inventeur à sortir la murène de l'eau. Aussitôt déposée sur le pont, cette dernière se tortilla avec violence : elle semblait très mécontente d'avoir été tirée de la mer. La bête devait faire un mètre de longueur. Leonardo n'avait jamais vu un tel animal de toute sa vie.

— Quel beau spécimen ! s'écria Helmet avec son lourd accent britannique.

Le médecin vint se placer entre Leonardo et Alessandro pour contempler la créature. Sous les yeux des deux garçons, il sortit de sa poche un petit marteau et assomma le poisson d'un coup sec.

— Regardez-moi ces jolies dents ! s'exclama-t-il en plaçant la tête de l'animal devant le visage de Leonardo. Puis-je réquisitionner votre murène ?

Helmet remercia Leonardo avant même que ce dernier puisse ouvrir la bouche. Une fraction de seconde plus tard, le médecin disparut sous le gaillard d'arrière en claquant la porte. Les adolescents étaient abasourdis. Le médecin à bord était décidément un bien étrange personnage.

— C'était un très beau poisson, conclut Alessandro en fixant la porte.

Leonardo et lui éclatèrent de rire.

La nuit était tombée depuis quelques heures et un calme plat régnait sur le *Mandeville*. Leonardo lisait dans sa cabine. Vito, lui, devait dormir dans son hamac. Sandro, pour sa part, n'avait pas sommeil ce soir-là. Comme d'habitude, le *Mandeville* prenait l'eau de partout et les murs étaient détrempés. Néanmoins, le peintre commençait à s'habituer tranquillement à ce changement radical de vie. Il sortit de sa cabine et se dirigea vers celle de Vera. Il frappa à trois reprises et n'obtint aucune réponse. « Peut-être dort-elle », songea Sandro. Il tira le rideau : Vera ne se trouvait pas dans sa cabine.

— Si tu cherches Vera, je l'ai entendue monter, dit Leonardo.

Sandro replaça le rideau de la cabine avant de quitter la pièce. Il monta sur le pont le plus silencieusement possible. Avec un peu de chance, il réussirait à surprendre Vera. Le peintre l'imaginait seule sur le pont, solitaire et pensive, en admiration devant l'immensité de la mer. Après avoir inspecté le pont et le gaillard d'arrière, Sandro comprit que ce n'était pas le cas. Une pensée terrible traversa son esprit : la jeune femme aurait-elle pu passer par-dessus bord ? Sandro allait crier le nom de son amie lorsqu'il entendit un rire en provenance du ciel. Il leva les yeux vers le poste de vigie du grand mât. Vera s'y trouvait en compagnie de Christophe. Ils semblaient passer un agréable moment à discuter au clair de lune. Sandro ne pouvait entendre clairement la conversation, mais cette vision était loin de lui plaire. Une sensation des plus déplaisantes lui serra le cœur. Sans faire le moindre bruit, le peintre redescendit par l'écoutille. À son arrivée dans la salle à manger, il croisa Leonardo qui avait décidé de s'offrir quelques galettes ; ils n'échangèrent qu'un bref regard. Sandro ouvrit la porte, bien décidé à regagner sa cabine. La pièce n'était éclairée que par une lampe à huile fixée au plafond.

— Sandro, viens un peu par ici ! dit l'inventeur.

Botticelli se contenta de tourner un regard sombre vers Leonardo.

— Ça ne me plaît pas davantage qu'à toi, chuchota l'adolescent d'un air sérieux.

Il fit signe à son compagnon de venir s'asseoir. Sandro fronça les sourcils avant de rejoindre Leonardo à la table.

— De quoi parles-tu, da Vinci ? s'enquit Sandro avec impatience.

Les choses semblaient être revenues comme avant puisque Sandro l'avait appelé par son nom de famille. Sur le pont, cela n'avait peut-être été qu'une exception.

— Vera est une bonne amie et je l'aime bien. Mais je te rassure tout de suite : je ne l'aime probablement pas de la même façon que toi.

Sandro hocha la tête silencieusement. Il n'avait aucune raison de douter des paroles de Leonardo.

— L'idée de voir Vera avec Christophe me dérange aussi. Il est toujours parti en mer à la recherche d'aventures. De plus, seule sa profession semble réellement l'intéresser. Je doute fort que Vera pourrait être heureuse avec lui.

Sandro ne pouvait nier qu'il accordait lui aussi beaucoup trop d'importance à sa carrière. Mais il se promit de faire des efforts pour changer les choses. Après tout, à quoi lui servirait sa belle carrière s'il ne pouvait pas être avec celle qu'il aimait ?

— Bref, continua Leonardo pensivement, je crois que Vera mérite mieux que Christophe. Par exemple, tu ferais un candidat idéal. En plus, vous ressentez des sentiments l'un pour l'autre. Tu es vraiment une tête enflée couronnée d'un très déplaisant caractère, mais tu restes en général une bonne personne.

L'heure était trop grave pour s'emporter contre Leonardo. De plus, Botticelli savait que son vis-à-vis disait plutôt vrai : il possédait un assez mauvais caractère.

— J'aime ta franchise, déclara-t-il sombrement, mais je ne vois pas ce qu'on peut faire pour empêcher Christophe de fréquenter Vera.

— Je ne sais pas trop non plus, mais je vais aborder subtilement le sujet avec Vera demain.

9
Navire en vue

En matinée, le *Mandeville* avait traversé le détroit de Gibraltar sans trop de problèmes. La mer y avait été particulièrement agitée, mais Christophe avait conduit le navire de main de maître jusqu'à sa sortie. Leonardo avait assisté à cette prouesse, bien agrippé à la rambarde du gaillard d'arrière. Le détroit de Gibraltar était un endroit impressionnant, autant par son histoire que par son climat furieux. C'était le passage emprunté par tous les bateaux quittant la Méditerranée. C'était aussi un tête-à-tête impressionnant entre deux gigantesques continents, soit l'Europe et l'Afrique. Le climat y était imprévisible ; cela était attribuable, entre autres, au mélange de l'eau chaude de la Méditerranée avec l'eau glacée de l'Atlantique. Même si la traversée n'avait duré que quelques heures à peine, l'équipage en était sorti épuisé. Tous les membres avaient été appelés sur le pont pour attendre les ordres du capitaine. Le vent pouvait se lever sans prévenir, il fallait donc rester sur le qui-vive. Leonardo n'avait pu cacher son soulagement lorsque le *Mandeville* s'était enfin engagé sur les eaux plus calmes de l'océan Atlantique. Christophe tenait toujours la barre lorsque Alessandro l'avertit d'une inquiétante nouvelle du haut du poste de la vigie.

— Capitaine, cria-t-il, il y a un navire qui nous suit à la trace depuis le détroit.

Pour Christophe, cela n'augurait rien de bon, car il y avait déjà plus de deux heures que le *Mandeville* avait quitté le détroit.

Le navigateur tourna la tête et aperçut les voiles à l'horizon. À première vue, le poursuivant semblait être un navire assez semblable au *Mandeville.*

— Kimchi ! hurla le capitaine à l'homme qui se trouvait sur le pont. Prends la barre !

Le Coréen vint prendre les commandes du navire. Christophe escalada le grand mât jusqu'au nid-de-pie. Il sortit de sa chemise une petite longue-vue et la braqua en direction de l'autre bateau. Celui-ci était parfaitement visible, Christophe pouvait même voir clairement le capitaine sur le gaillard d'arrière. C'était un homme au teint basané habillé de vêtements crasseux.

— Une petite caraque espagnole, annonça Christophe à Alessandro. Ça se voit à sa coque arrondie. Cependant, ce qui la différencie de la caravelle, c'est qu'elle possède un gaillard d'avant. Sa poupe est aussi élevée que sa proue. Elles sont toutes deux séparées par le pont qui, lui, est moins élevé.

Christophe prêta sa longue-vue à Alessandro. Le jeune homme avait encore beaucoup à apprendre s'il voulait devenir un grand marin.

— Intéressant, affirma-t-il en observant la caraque. Qu'est-ce qu'ils peuvent bien nous vouloir ?

— Ils nous ont pris en chasse, ils vont donc tenter de nous aborder.

— Qu'est-ce qui vous fait penser ça ?

Le marin espérait que le capitaine tirait des conclusions hâtives. Mais il comprit rapidement que ce n'était pas le cas.

— Les membres d'équipage semblent nerveux. Ils sont beaucoup trop nombreux sur le pont et des marins chargent en ce moment même les canons. Ils vont nous attaquer.

— Seigneur ! souffla Alessandro en remettant la longue-vue à son propriétaire.

— Nous risquons d'avoir un après-midi mouvementé ! prévint Christophe en redescendant sur le pont.

Les passagers étaient au beau milieu de leur repas lorsque Christophe fit irruption dans la salle à manger.

— Mauvaise nouvelle, lança-t-il sans préambule. Nous sommes pris en chasse par une caraque espagnole. Avec de la chance, nous parviendrons à la semer, mais dans le cas contraire, nous devrons l'affronter. Donc, je prie les invités de rester dans leur cabine pendant les prochaines heures. Vito, je vais avoir besoin de toi sur le pont.

Sans un mot de plus, le capitaine remonta par l'écoutille. Vito se leva en soupirant.

— Bon ! On se revoit plus tard.

— Sois prudent, implora Vera en regardant le rouquin quitter les lieux.

Leonardo, Sandro et Vera se retrouvèrent seuls dans la pièce. L'inquiétude se lisait dans leurs yeux.

— Je crois que nous devrions regagner nos cabines immédiatement, conseilla Leonardo en cueillant plusieurs galettes sur la table.

— Déployez toutes les voiles ! cria férocement Christophe en reprenant la barre. Je veux toutes les voir, même ce fichu perroquet de beaupré !

Le capitaine se félicitait d'avoir mis Kimchi et Alessandro à la corvée de récurage la journée précédente ; la coque était donc à son meilleur. Si cela pouvait faire gagner au bateau ne serait-ce qu'un nœud, ce serait déjà ça de plus. Christophe jeta un œil derrière le navire : la caraque ennemie s'approchait toujours.

— Fichus Espagnols ! grogna Juan en montant sur le pont. Mon vieux, tu n'as pas intérêt à les laisser nous voler. La cale renferme tout ce dont nous avons besoin pour notre voyage. Nous ne pouvons nous permettre de perdre de l'argent.

Cette déclaration sembla amuser Christophe. Même dans les pires situations, Juan parlait d'argent. Sur le pont, les trois marins venaient de terminer leurs tâches.

— Vito et Alessandro, allez chercher les armes dans la cale ! ordonna le capitaine. Kimchi, je veux que nos canons soient prêts à cracher dans cinq minutes !

Le Coréen hocha la tête et disparut par l'écoutille, suivi rapidement par l'ancien maraudeur et la jeune recrue.

— Il nous faudrait des canons sur le gaillard d'arrière, maugréa Christophe.

— Nous ne sommes pas un vaisseau de guerre, fit remarquer froidement Juan. Sans compter que nous sommes déjà bien assez lourds comme ça. Je te l'ai dit une centaine de fois : nous filerions beaucoup plus rapidement sans ces satanés canons, mon cher partenaire.

L'achat de cette artillerie lourde avait été une source de querelles interminables entre les deux jeunes hommes. Juan jugeait les canons inutiles et beaucoup trop lourds.

Christophe fusilla du regard son ami. Il s'abstint de tout commentaire, puisqu'il savait que Juan avait raison. Kimchi revint rapidement sur le pont et entreprit le remplissage des lourdes armes. Le capitaine observa attentivement la caraque espagnole puis revint vers les canons. Son esprit envisageait rapidement toutes les possibilités.

— Kimchi ! cria-t-il, après avoir soupiré bruyamment. Tu peux oublier mon ordre.

Il tourna ensuite un regard grave vers Juan.

— Tu peux en jeter deux par-dessus bord, dit-il à contrecœur. J'espère que ça nous fera gagner au moins un ou deux nœuds.

— Nous verrons bien, dit Juan en courant vers le pont.

De chaque côté du navire, un canon fut jeté à la mer. Le *Mandeville* parut aussitôt plus léger. Ce n'était donc pas une si mauvaise idée.

— Mes beaux canons… murmura Christophe. Satanés Espagnols…

Pendant la dernière heure, la caraque espagnole s'était encore rapprochée. Elle n'était plus qu'à environ trois cents mètres du *Mandeville*. Le bateau ennemi possédait un nombre supérieur de voiles, ce qui l'avantageait considérablement.

— Nous n'aurons pas le choix de l'affronter, déclara Juan en observant le bateau ennemi.

— Nous aurions dû garder les canons, ronchonna Christophe, toujours à la barre.

Le capitaine garderait longtemps sur le cœur la disparition de ses deux belles armes massives. La vie en mer pouvait parfois être bien cruelle.

— Peu importe, répondit Juan. Avec ce poids en moins, nous serons beaucoup plus rapides.

Christophe feignit de ne pas avoir entendu. Juan n'en fit pas d'histoires, car il était habitué aux sautes d'humeur de son ami.

— Juan, tu vas prendre les commandes, lança le capitaine. Nous passons à l'offensive !

Christophe laissa la barre à Juan et alla rejoindre les hommes sur le pont. Vito expliquait à Alessandro comment charger une arme. Les armes à feu à cette époque étaient rudimentaires : par exemple, celle d'Alessandro consistait en un tube métallique fixé à un manche en bois. L'arme ne pouvait faire feu qu'une seule fois ; la recharger durant le combat était impensable. C'était pour cette raison que le capitaine et les membres d'équipage portaient tous une épée à la ceinture ; le pistolet ne servait que d'arme secondaire.

— L'affrontement est maintenant inévitable. Je ne vous demande qu'une chose : empêchez nos adversaires de monter à bord. Je me chargerai du reste. C'est clair ?

Vito, Kimchi et Alessandro répondirent par un « oui » unanime. Christophe revint sur le gaillard d'arrière.

— Juan, tourne à bâbord, dit-il solennellement. Nous allons attaquer le bateau ennemi sur son flanc gauche.

Le capitaine se tourna vers son équipage sur le pont ; il affichait un air sévère.

— Vous avez tous bien compris ? Positionnez les deux canons en conséquence ! Et ne visez que le grand mât de la caraque. Je veux le voir tomber !

Juan tourna la barre à roue avec force. Le gouvernail pivota aussitôt. La manœuvre escomptée était simple : le *Mandeville* allait exécuter un demi-cercle vers l'arrière et se rapprocher rapidement du flanc de la caraque. Le navire espagnol serait ainsi à portée de canon. L'ennui avec cette manœuvre était que le *Mandeville* serait également dans la mire de l'autre navire. Toutefois, Christophe avait un plan. Si tout fonctionnait comme il le voulait, les dégâts portés au *Mandeville* seraient mineurs. Le capitaine quitta le gaillard d'arrière et disparut quelques instants par l'écoutille du pont. À son retour, il tenait entre les mains un petit tonneau de bois contenant de la poudre noire et une bouteille en terre cuite.

— Qu'est-ce que tu comptes faire ? questionna Juan en voyant son partenaire remonter sur le gaillard.

Christophe déposa le baril ainsi que la bouteille à quelques mètres de la barre et s'agenouilla.

— Hé ! s'exclama Juan, offusqué. Mais c'est ma bouteille d'eau-de-vie !

— Exact. J'espère que tu as acheté cet alcool d'un bon alchimiste et qu'il ne l'a pas dilué avec de l'eau.

— Je n'en ai pas la moindre idée, grogna Juan, mécontent. Je me sers surtout de cette eau-de-vie comme antiseptique. Mais peu importe ce que tu manigances, tu me devras une bonne bouteille.

Christophe hocha la tête avant d'enfoncer un vieux chiffon dans le contenant. Il retourna celui-ci pour laisser l'alcool imbiber le tissu. Lorsque cela fut fait, il attacha fermement la bouteille à sa ceinture.

— Je viens de comprendre ce que tu trames, déclara Juan en regardant le capitaine d'un air inquiet. Tu es vraiment cinglé !

Le *Mandeville* avait accompli un demi-tour et voguait vers la caraque espagnole. Cette dernière se rapprochait dangereusement sur la gauche. Les deux navires seraient côte à côte dans quelques minutes. Christophe attacha le baril à une corde et le hissa sur son épaule avant d'escalader le mât d'artimon.

— Ces Espagnols vont voir que le *Mandeville* ne se laisse pas si facilement attraper ! s'écria-t-il avant de disparaître derrière la voile.

Sur le pont, Vito avait allumé une torche qui servirait à embraser les tiges des canons. Ce n'était plus qu'une question de secondes avant que l'affrontement ne débute. Kimchi était prêt : il avait chargé deux pistolets. Ce n'était pas son premier combat et ce ne serait certainement pas le dernier.

Au sommet du mât d'artimon, Christophe noua fermement un grappin à une longue corde qui était rattachée au mât. Les deux navires se croisèrent. La caraque espagnole avait placé ses quatre canons sur le flanc gauche du pont, en direction du combat. Le poids des armes faisait pencher légèrement l'embarcation, mais cela n'avait guère de conséquence. Les Espagnols firent feu en premier. Les grondements des canons déchirèrent l'air. La rambarde de bois sur le pont du *Mandeville* éclata en une centaine d'éclats mortels. Vito s'était jeté au sol quelques secondes avant l'impact, évitant de quelques centimètres un projectile de bois qui s'encastra dans la base du grand mât. Alessandro, qui n'avait pas eu d'aussi bons réflexes, avait été projeté vers l'arrière.

L'ancien maraudeur se releva péniblement et mit le feu aux deux canons. L'artillerie du *Mandeville* causa des dégâts sérieux au grand mât de la caraque, mais celui-ci resta en place. Le rouquin jura. Il n'aurait fallu qu'un coup de plus pour abattre le grand mât du bateau ennemi. Toutefois, personne sur le *Mandeville* n'eut le temps de recharger, car les marins de l'autre navire tentaient déjà de monter à bord. Vito tourna un regard vers Alessandro. Le garçon ne s'était pas relevé ; il semblait sérieusement touché.

Un marin espagnol sauta sur la rambarde. Kimchi le repoussa d'un coup de pistolet. L'envahisseur tomba entre les deux navires et coula à pic. La partie semblait inégale, les Espagnols devaient être plus d'une vingtaine. Kimchi fit cracher son autre arme en direction du navire adverse avant de la jeter au sol. Le Coréen saisit son épée et repoussa un ennemi d'un puissant coup de pied.

— Blessé sur le pont ! s'écria Vito en dégainant son pistolet.

Helmet jaillit de sous le gaillard d'arrière et explora le pont des yeux. Son regard tomba rapidement sur Alessandro. Un autre marin espagnol, agrippé à une corde et qui s'était élancé d'un des mâts, tomba à quelques pas du médecin. Helmet jeta un œil méprisant sur le nouvel arrivant. Celui-ci semblait décidé à faire couler le sang. Le médecin sortit un pistolet de sa poche et fit feu ; l'attaquant fut projeté dans la mer. Satisfait, le médecin hocha la tête. Il lança son arme sur le sol et accourut vers le jeune marin blessé. Christophe lança le grappin de toutes ses forces en direction de l'autre navire. C'était un lancer parfait : l'hameçon géant alla se prendre contre la vergue du mât d'artimon.

— C'est moi le meilleur ! murmura Christophe en se hissant aussitôt sur la corde.

L'équipage de la caraque espagnole était trop occupé à tenter d'aborder le *Mandeville* pour faire attention à la corde qui reliait maintenant les deux navires. En moins de trente secondes, Christophe fut de l'autre côté, bien accroché au mât d'artimon de la caraque. Il était à dix mètres à peine au-dessus de la barre. À ce moment, une puissante détonation se fit entendre. Le navigateur ressentit aussitôt un douloureux pincement au niveau de la cuisse. La douleur lui fit presque perdre l'équilibre, mais il se cramponna pour ne pas chuter en bas du mât. Il n'y avait pas de doute à avoir, on venait de lui tirer dessus. Il tourna un regard vers le grand mât et aperçu l'agresseur. Il s'agissait de l'homme posté au nid-de-pie.

Christophe sortit un de ses pistolets et fit feu. Son adversaire, atteint, s'écrasa sur le pont à une dizaine de mètres plus bas. Le capitaine du *Mandeville* n'aimait pas user de violence, mais ce n'était pas lui qui avait attaqué le premier. Il regarda sa cuisse ; la blessure était douloureuse mais pas mortelle. Toutefois, cela changeait ses plans. Dans cet état, il ne pouvait affronter directement ses adversaires. Il jeta un coup d'œil sous ses pieds. Le capitaine de la caraque venait tout juste d'abandonner la barre, laissant le gaillard d'arrière désert. « Il s'agit d'un capitaine bien peu fiable », songea Christophe, perplexe. La situation était parfaite. Le jeune homme lança le baril de poudre noire tout près de la barre à roue. Le tonneau éclata en heurtant le sol, répandant ainsi sa poudre noire sur un bon périmètre. La corde qui reliait les deux navires devenait de plus en plus tendue, les bateaux commençaient à se distancer. Christophe n'avait plus beaucoup de temps pour agir.

— Je suis vraiment trop doué ! s'exclama-t-il.

Il sortit de sa poche un briquet à silex et enflamma le chiffon au sommet de la bouteille en terre cuite. Le capitaine du navire espagnol tourna les yeux vers le gaillard d'arrière lorsque la bouteille éclata contre le sol. Son contenu s'embrasa aussitôt, puis ce fut au tour de la poudre, qui engendra un torrent de flammes.

— Ça, c'est pour mes canons ! s'écria le jeune Colomb en se rengageant sur la corde qui rejoignait le *Mandeville*.

À mi-chemin entre les deux navires, il trancha la corde et atterrit en culbutant près de Juan qui manœuvrait toujours le navire.

— Fais-nous fuir les lieux au plus vite, Juan ! dit Christophe en se remettant debout.

Le *Mandeville* s'éloigna rapidement du navire espagnol. Tout l'arrière de la caraque était en flammes et les assaillants semblaient avoir oublié leur projet d'abordage.

— Avec leur barre dans cet état, ils n'arriveront jamais à nous rattraper, lança Christophe, plutôt fier de lui.

Il baissa la tête pour saluer solennellement le capitaine de la caraque. Helmet monta sur le gaillard d'arrière ; il arborait une mine attristée.

— Mon cher, avons-nous des blessés ? questionna Christophe en se tournant vers le Britannique.

— Aucun blessé, répondit sombrement le médecin. Par contre, nous avons un mort.

10
Le navire fantôme

L'équipage était sous le choc ; même Christophe avait été surpris par la nouvelle. Le pauvre Alessandro avait été tué sur le coup, emporté par les éclats à la suite d'un tir de canon. Après avoir mis les pieds sur le pont, Helmet avait rapidement tiré Alessandro sous le gaillard d'arrière. C'est alors qu'il avait constaté que son savoir ne lui servirait à rien pour sauver le jeune marin, puisque celui-ci était déjà mort. Un gros éclat de bois lui avait perforé le cœur. La mer était un endroit bien cruel, ce à quoi même le capitaine du *Mandeville* ne s'habituerait jamais. Et les choses auraient pu être pires encore. Par chance, le plan de Christophe avait réussi et la caraque n'était plus en état de combattre.

— J'espère que ces Espagnols se feront attaquer par des pirates pendant qu'ils répareront leur navire, dit Vito gravement, les yeux rivés sur la table.

Tous les marins qui avaient participé au combat étaient sous le gaillard d'arrière, autour de la table sur laquelle avait été disposée la dépouille d'Alessandro.

— Avec un peu de chance, ils n'arriveront pas à maîtriser l'incendie et leur bateau coulera dans une mer glacée, exprima Juan.

Alessandro était torse nu; sa blessure mortelle était donc à la vue de tous. Le jeune homme avait l'air paisible. Vito, normalement si jovial, regardait le cadavre d'un air abattu. Alessandro ne deviendrait jamais un grand navigateur, il n'aurait jamais son propre navire. Son cadavre symbolisait la fragilité de la vie. Vito ne voulait pas finir sa vie de cette façon. Et par-dessus tout, il ne pouvait s'imaginer la tristesse de Déborah si on devait un jour lui annoncer sa mort. À une certaine époque, avant qu'il ne rencontre Leonardo, il n'avait jamais songé à la mort. Il n'avait jamais rien eu à perdre, mais maintenant c'était différent. Vito avait des amis auxquels il tenait et une copine adorable. Avec ce voyage, Vito se rendait compte qu'Andrea Verrocchio les avait tous mis dans une situation dangereuse. Peut-être le grand maître n'en avait-il pas été conscient, mais l'ancien maraudeur comptait bien lui en toucher deux mots dès son retour.

Helmet avait soigné la blessure à la cuisse du capitaine. C'était une blessure grave, mais dans quelques semaines Christophe serait entièrement remis.

— Kimchi, peux-tu aller décrocher le hamac d'Alessandro ? demanda le jeune Colomb.

Kimchi sortit de la pièce sans répondre. En mer, les morts étaient jetés par-dessus bord, emballés dans leur hamac. Alessandro n'échapperait pas à la règle. Il n'aurait pas de sépulture et tous finiraient par l'oublier.

— Vito, il est temps d'avertir nos passagers du décès d'Alessandro, reprit Christophe. La cérémonie aura lieu dans une heure.

— Parfait, se contenta de répondre Vito.

Puis il se dirigea vers les cabines.

La nouvelle avait eu l'effet d'une bombe sur les trois passagers. À bord, tous appréciaient Alessandro, même Botticelli. Tout l'équipage du *Mandeville* était maintenant réuni sur le pont. Sur la rambarde droite du navire, Vito et Kimchi maintenaient une planche en équilibre, sur laquelle Alessandro reposait, emmailloté dans son hamac. Les deux marins n'auraient qu'à incliner la planche pour que le corps glisse jusqu'à l'océan.

— Nous confions à la mer le corps de ce marin, entreprit Christophe d'une voix solennelle, jusqu'au jour de la résurrection où elle nous rendra ces morts engloutis pour qu'ils vivent éternellement... Amen.

Christophe fit signe à Vito et à Kimchi ; ces derniers inclinèrent la planche. Le corps glissa avant de plonger dans l'eau. Alessandro disparut dans les profondeurs des abîmes à tout jamais. « Il s'agit d'une bien courte cérémonie », songea Leonardo. Le garçon aurait mérité mieux, mais les choses étaient ainsi faites en mer. C'était une triste journée pour tous. La joie ne reviendrait pas de sitôt à bord de la caravelle.

Il fallut plusieurs jours avant que l'ambiance à bord ne revienne à la normale. Malgré les apparences, le *Mandeville* avait eu beaucoup de chance. Après tout, les membres d'équipage étaient sortis vainqueurs d'un affrontement avec une caraque plus armée et ayant un équipage beaucoup plus nombreux. Bien sûr, le capitaine y était pour quelque chose. Par chance, le *Mandeville* n'avait encaissé que des dommages mineurs : aucun mât n'avait été sérieusement touché. Kimchi, le charpentier à bord, s'était affairé dès le lendemain à tout réparer. Le vieux Coréen bougon était particulièrement adroit. Plus rien ne laissait voir que le navire avait été attaqué.

Peu après la disparition d'Alessandro, Christophe avait proposé à Leonardo de prendre le quart de vigie de la recrue. L'inventeur s'était montré hésitant, mais avait finalement accepté le travail. Il était posté sur le nid-de-pie depuis deux bonnes heures lorsqu'il aperçut des voiles au loin. Depuis que le *Mandeville* avait franchi le détroit du Gibraltar, il avait parcouru plus de mille kilomètres en longeant le Maroc. Il approchait maintenant de l'île de Lanzarote. Celle-ci faisait partie de l'archipel des îles Canaries qu'on appelait communément les îles des Bienheureux ; Leonardo se demandait bien pourquoi. Le navire qui se dressait au loin, plus petit que le *Mandeville,* semblait être une caravelle.

— Voiles en vue ! s'écria Leonardo en tournant la tête vers le gaillard d'arrière.

Juan, qui se trouvait à la barre, frappa du pied cinq fois. Le marin à la tuque rouge se trouvait juste au-dessus de la cabine du capitaine. Christophe jaillit sur le pont quelques secondes plus tard. Il avait la chevelure en bataille et l'air légèrement confus. Il s'étira en laissant échapper un long bâillement. Puis il s'écria, en escaladant l'un des filets :

— J'arrive !

Il sauta à l'intérieur du poste de vigie.

— Où se trouve ce navire ? questionna-t-il aussitôt.

Leonardo pointa son index vers l'horizon.

Le capitaine sortit sa longue-vue. Il resta plusieurs minutes à observer le navire sans rien dire. Puis il finit par tourner son regard vers l'inventeur.

— Ses voiles sont toutes déchirées, je ne vois personne sur le pont, pas même à la barre. Je te parie qu'il n'y a personne à bord. Soit les membres d'équipage ont été attaqués par des pirates, soit ils sont tous morts de la peste. Toutefois, je n'aperçois aucun cadavre sur le pont. J'opterais donc plus pour une attaque de pirates. Bref, nous irons visiter cette caravelle !

— La peste ! s'écria Leonardo, effrayé. Vous voulez vraiment monter sur ce bateau ?

Christophe le rassura en riant :

— Ne vous inquiétez pas, j'enverrai Helmet le premier. S'il y a bien la peste sur le navire, nous le laisserons à bord et nous fuirons les lieux.

Leonardo s'abstint de rire, puisqu'il ignorait totalement si le capitaine blaguait ou parlait sérieusement. Christophe lui fit un clin d'œil complice avant de redescendre sur le pont. Le navigateur cria des ordres à l'intention de Juan. Quelques minutes plus tard, Kimchi vint prendre la place de Leonardo au poste de surveillance. L'inventeur put donc redescendre sur le pont.

Plus de trente minutes passèrent avant que le *Mandeville* accoste enfin le navire fantôme. Comme Christophe l'avait dit, Helmet fut le premier à mettre le pied sur le bateau étranger. Le médecin conclut rapidement que la peste n'était pas la cause de l'abandon de la caravelle. Les occupants avaient tout simplement disparu. Leonardo regardait le mystérieux navire avec curiosité. Il se demandait ce qui avait pu pousser ses voyageurs à l'abandonner.

Le médecin revint sur le *Mandeville*, le regard perplexe. Il raconta :

— Il s'agit sûrement d'une attaque de pirates. Il y a un repas à moitié entamé dans la cabine du capitaine. Les occupants ont dû être surpris. Ils ont sûrement été jetés par-dessus bord. J'ai vu un peu de sang séché sur le pont. À voir l'état du bateau, il doit avoir été abandonné il y a plusieurs mois.

Vito monta sur le pont, intrigué par cette histoire de navire fantôme. Son visage blêmit en voyant la caravelle désertée. Leonardo s'en aperçut et s'inquiéta pour son ami. Il espérait que l'ancien maraudeur ne connaissait personne à bord du navire.

Soudain, Vito se tourna vers Leonardo.

— Je reconnais ce navire, c'est l'*Émeraude* ! s'écria-t-il.

— Je n'en ai jamais entendu parler, jeta Christophe en haussant les épaules.

— Leonardo, reprit le rouquin, c'est le voilier dans lequel Warress a quitté l'Italie !

Leonardo était abasourdi. Il n'arrivait pas à croire que les plans de Warress aient pu être contrecarrés par des pirates. Ferrazini était le genre d'homme qui semblait tout prévoir.

— Bah, votre ami Warress est probablement mort, trancha Christophe qui ignorait tout de l'alchimiste. Les pirates, dans cette partie du monde, ne laissent habituellement pas de survivants.

Christophe s'intéressait bien peu à ce qui se passait en Italie. Sandro et Vera montèrent sur le pont, attirés par l'animation qui y régnait. Vito les informa rapidement de l'étonnante nouvelle.

— J'espère qu'il a souffert un peu avant de mourir, déclara Sandro sans plus d'intérêt.

— Est-ce que je pourrais monter à bord ? questionna Leonardo.

— Pourquoi ? demanda Christophe en fronçant les sourcils.

— Si c'est bien le navire de Warress Ferrazini, je dois à tout prix l'inspecter. Je veux savoir ce qui lui est arrivé.

— Vous ne trouverez aucune réponse à bord, affirma Christophe. Mais libre à vous d'aller y jeter un œil.

Leonardo sauta sur le pont de l'*Émeraude* sans plus attendre. Vito décida de l'accompagner ; après tout, aucun détail ne lui échappait. Christophe et Juan suivirent leurs compagnons. Les deux marins comptaient bien rapporter sur le *Mandeville* tout ce qui pouvait avoir de la valeur.

Leonardo remonta sur le pont avec Vito. La cale ne recelait rien d'intéressant. À première vue, l'*Émeraude* était un bateau comme les autres. Le seul fait étrange était que l'équipage semblait avoir brusquement disparu. Les occupants du bateau paraissaient avoir été dérangés en plein repas, ainsi que l'avait remarqué Helmet en visitant les appartements du capitaine. Toutefois, si des pirates avaient bel et bien attaqué l'*Émeraude*, le fait que les membres de cette caravelle aient abandonné leur repas n'avait rien d'étonnant. Le bateau n'avait pas été pillé, à la grande joie de Christophe. Juan et lui transférèrent à bord du *Mandeville* cinq tonneaux de poudre ainsi qu'un peu d'or.

— Allons voir la chambre du capitaine, proposa Vito en se dirigeant vers la porte sous le gaillard d'arrière.

Son ami et lui pénétrèrent dans la première pièce puis passèrent dans la cabine. Elle était étonnamment spacieuse. Il y avait un hamac, une grande table de travail et une commode. La cabine disposait même d'une petite pièce servant de latrine. Leonardo s'approcha de la table et en inspecta le contenu. Son attention fut immédiatement attirée par un livre qui possédait une belle reliure en cuir ornementée de symboles celtiques. L'adolescent reconnaissait l'ouvrage : c'était la bible de la confrérie de la Table d'émeraude. Il avait déjà possédé un exemplaire de ce bouquin, mais le père de Médicis le lui avait confisqué. L'homme d'Église avait été assassiné à peine quelques heures plus tard. Par la suite, Leonardo n'avait jamais plus entendu parler de cette œuvre blasphématoire. Il saisit le livre et le dissimula à l'intérieur de sa chemise.

— Tu crois que Warress est mort ? interrogea Vito qui fouillait la commode.

— Avec un tel homme, nous ne pouvons être sûrs de rien, répliqua son ami en examinant le reste de la pièce.

Sous le hamac, Leonardo découvrit du matériel d'alchimie ainsi que quelques bouteilles pleines d'une poudre dont l'usage lui était inconnu. Il décida de tout rapporter à bord du *Mandeville*. L'inventeur voulait mieux connaître Warress Ferrazini ; passer au crible ses possessions, c'était la meilleure manière de savoir à qui il avait affaire. Il était possible que l'alchimiste soit déjà mort, mais Leonardo n'arrivait pas à y croire. Un affrontement inévitable les attendait tous les deux, il en était convaincu.

— Leo, souffla Vito en se tournant, regarde un peu ce que je viens de trouver.

L'ancien maraudeur avait découvert un cahier de notes dans la commode. Il semblait s'agir d'une sorte de journal.

— J'ai l'impression que tu vas passer des heures de lecture captivantes, déclara Vito avec son sourire légendaire.

Après avoir inspecté méticuleusement la cabine, Leonardo et Vito retournèrent à bord du *Mandeville* les mains pleines. Une heure plus tard, la caravelle reprit sa route, laissant derrière elle le navire fantôme.

11
La tempête du siècle

La visite du navire fantôme avait apporté à Leonardo plus de questions que de réponses. Il craignait de ne jamais savoir si Warress était réellement mort. Si tel était le cas, Leonardo ignorait s'il pouvait croire qu'il n'était plus en danger. Après les événements survenus à Florence, l'alchimiste lui avait fait parvenir une lettre des plus menaçantes dans laquelle il avait affirmé qu'il le surveillait de près. Si Warress était mort, est-ce que cette menace avait disparu avec lui ? L'inventeur n'avait aucune idée de l'ampleur qu'avait la confrérie de la Table d'émeraude. Si celle-ci était bien organisée, elle pourrait facilement survivre à un de ses membres influents. Au fait, était-ce Warress qui avait créé ce groupe ? Leonardo l'ignorait. Ce qu'il savait, par contre, c'est que la visite de l'*Émeraude* ne l'avait pas du tout rassuré.

— Qu'est-ce qui te chicote ? questionna Sandro Botticelli.

Les deux garçons étaient assis à l'avant du navire, sur la rambarde près du mât de beaupré. La soirée se terminait et les élèves de Verrocchio observaient le coucher du soleil. La mer était calme, un vrai miroir. La mort d'Alessandro avait étrangement rapproché les deux rivaux de l'atelier.

Leonardo hésita. Finalement, il décida de révéler son secret, non sans jeter un coup d'œil aux alentours avant.

— Je ne l'ai encore confié à personne, mais Warress m'a fait des menaces après notre exploit à l'atelier. Il m'a écrit une lettre dans laquelle il menaçait ouvertement ma famille et mes amis. J'ai cru bon de garder cela pour moi, puisque je ne savais pas à qui je pouvais faire confiance à Florence. Maintenant que Warress est probablement mort, je me demande si je devrais en parler avec Laurent de Médicis ou Andrea Verrocchio.

Sandro fronça les sourcils. Cette révélation l'étonnait.

— À ta place, je resterais prudent, conseilla-t-il à voix basse. Lorsque la mort de Warress sera un fait incontestable, ce sera une autre histoire. Et personnellement, je ne ferais pas confiance à Andrea Verrocchio. Il a tout de même engagé l'alchimiste comme professeur pour l'atelier.

— Peut-être bien, dit Leonardo, pensif.

L'inventeur regarda vers le gaillard d'arrière. Christophe était aux commandes du navire. Il discutait avec Vera ; tous deux semblaient avoir bien du plaisir.

— Tu devrais proposer à Vera d'aller faire un tour sur le nid-de-pie, dit-il en fixant Christophe. C'est une belle soirée. La vue doit être magnifique de là-haut.

Sandro jeta un coup d'œil à Vera. Il frotta ensuite sa chevelure, l'air songeur.

— Hum ! souffla-t-il, incertain.

Il devait bien avouer que Christophe avait un certain charme que lui ne posséderait probablement jamais. Le capitaine du *Mandeville* avait certainement plus de chance avec Vera.

— Tu n'as pas vraiment le choix, Botticelli, reprit Leonardo. Sinon nous devrons noyer Christophe pendant que Vera aura le dos tourné. L'idée d'un meurtre ne me plaît pas trop, tu comprends.

Sandro pouffa de rire. Leonardo avait parfois un humour plutôt tordu.

— D'accord, dit Botticelli en se mettant debout. Mais je suis certain qu'elle refusera.

Sandro avança d'un pas légèrement incertain vers le gaillard d'arrière.

— Il faut tenter le coup, répliqua l'inventeur. La vie du capitaine en dépend.

Sandro se retourna.

— Très mauvais argument ! lança Sandro avec un sourire amusé.

Leonardo observa le peintre s'approcher du capitaine et de la jeune femme. Le groupe discuta pendant quelques minutes, puis Sandro et Vera s'éloignèrent ensemble de la barre en direction du grand mât. Christophe suivait des yeux les deux passagers. Leonardo constata que le navigateur ne semblait guère enjoué et ne put s'empêcher de sourire. Sandro lui fit un clin d'œil complice avant de grimper prudemment au grand mât en compagnie de Vera. «Les choses ne sont peut-être pas si désespérées pour Sandro», songea Leonardo en portant son regard vers l'horizon. Ce cher Botticelli aurait fort à faire pour gagner le cœur de la ravissante Vera, mais avec de la chance, il y parviendrait.

Christophe n'avait pas quitté l'horizon des yeux depuis plusieurs minutes. Quand Leonardo avait aperçu le regard inquiet du capitaine, il en avait immédiatement déduit qu'il s'agissait d'une réaction émotionnelle face au départ soudain de Vera. Mais il avait compris rapidement qu'il faisait fausse route. Quelque chose n'allait pas, mais Vera n'en était pas la cause. L'étudiant de l'atelier Verrocchio décida donc de quitter le mât de beaupré pour se rendre sur le gaillard d'arrière. Christophe ne sembla même pas remarquer son arrivée.

— Il y a un problème ? interrogea Leonardo.

Christophe sursauta avant de tourner un regard surpris vers l'inventeur.

— Je vous ai posé cette question car vous paraissez contrarié, dit Leonardo.

Le capitaine hocha la tête, l'air absent. Puis il se remit à fixer l'horizon.

— La température a changé radicalement dans les dernières heures, déclara-t-il. Nous sommes passés d'un temps sec et chaud à une température fraîche, pour enfin revenir à un climat tropical.

— Et alors ? interrogea Leonardo qui ignorait les impacts que cela pouvait avoir.

— Il y a de l'instabilité dans l'air. L'enfer va nous tomber dessus, je peux le sentir. Voudriez-vous aller avertir Vera et son ami qu'ils doivent regagner leur cabine ?

Leonardo était légèrement sceptique à l'idée qu'une tempête se préparait ; après tout, la mer était parfaitement calme. Le capitaine montait peut-être une mascarade pour séparer ses deux amis. Christophe sembla percevoir le doute chez Leonardo et ses yeux s'assombrirent davantage.

— Qu'est-ce que vous attendez ? jeta-t-il froidement.

Le capitaine n'entendant vraisemblablement pas à rire, Leonardo décida donc d'obéir sans discuter. Il se rendit sur le pont et rejoignit rapidement le nid-de-pie où se trouvaient Sandro et Vera. Kimchi y était également, car il effectuait son tour de garde. La superficie du poste de vigie permettait à chacun d'avoir une place suffisante. L'espace mesurait environ deux mètres carrés et était entouré d'une rambarde de bois qui arrivait à la taille d'une personne. Leonardo se glissa à l'intérieur du point d'observation et s'approcha de Sandro et de Vera. Il leur expliqua qu'ils devaient regagner leurs cabines au plus vite puisqu'une tempête approchait.

— C'est n'importe quoi ! déclara vivement le peintre. La mer est calme et les voiles s'agitent à peine.

Sandro partageait le même avis que Leonardo : il croyait que Christophe voulait le séparer de Vera. Le navigateur était décidément un mauvais joueur.

— J'ai bien peur que le capitaine ait raison, déclara Kimchi qui fixait l'océan.

Le vieux Coréen désigna une mince couche nuageuse à l'horizon. Rien de bien menaçant, selon Botticelli ; ce n'était pour l'instant qu'une mince bordure sombre au loin. Leonardo inspecta plus attentivement la masse obscure devant eux. Il y aperçut des variations de lumière inquiétante : une suite interminable de foudres blanches teintées d'une couleur violette plus ou moins intense. Une tempête approchait réellement. Les trois passagers redescendirent sur le pont. Kimchi, pour sa part, s'attacha fermement au mât par une corde fixée à sa ceinture. Peu importe les intempéries, il resterait à son poste tant que le grand mât tiendrait debout. Vera et Leonardo venaient tout juste de descendre l'écoutille lorsque Christophe appela le peintre du gaillard d'arrière.

— Sandro, pourrais-je vous voir un instant ?

Sandro monta l'escalier et s'avança vers le capitaine en arborant un air de défi. Le sourire du jeune Colomb s'effaça d'un seul coup.

— Vous n'avez aucune chance avec elle, lança Christophe sans tourner autour du pot. Vous n'avez décidément pas ce qu'il faut pour plaire à une femme telle que Vera.

Sandro laissa échapper un bref fou rire puis son regard devint lui aussi de glace.

— Et vous ? Arrêtez-moi si je me trompe, mais vous n'êtes qu'un capitaine à bord d'une coque de noix, une vraie épave flottante. Et je ne parle même pas de votre éducation, qui est fort probablement inexistante. Vous auriez dû passer plus de temps à l'école au lieu de vous promener en mer.

Sandro Botticelli s'approcha d'un pas et dressa son index en direction de Christophe.

— Alors, si j'étais à votre place, mon petit Marco Polo, je me regarderais un peu avant de parler. Vous n'avez rien à offrir à une fille comme Vera.

Christophe fusilla du regard son passager. Il avait bien envie de dégainer son épée. Il n'aurait aucune difficulté à achever ce petit peintre prétentieux.

— Tempête en vue ! cria Kimchi du poste de garde.

Christophe jeta un regard rageur sur le Coréen avant de reporter son attention sur Sandro.

— Maintenant, je vous demanderais de regagner votre cabine, ordonna-t-il sombrement.

Sandro tourna les talons et descendit sur le pont. « Le reste du voyage promet d'être tendu », songea-t-il.

Christophe n'était pas de bonne humeur et la tempête qui approchait n'aidait en rien. Il sentait qu'il venait de perdre le respect de Sandro ainsi que celui de Leonardo. C'était probablement la pire chose qui pouvait arriver à un capitaine. Les tensions sur un navire pouvaient se terminer par une mutinerie. Il doutait fort que les deux garçons tentent quelque chose d'aussi stupide, mais Christophe ne pouvait désormais plus leur faire confiance. Comme le ciel, les pensées du capitaine s'assombrissaient de plus en plus. Les vagues s'étaient mises de la partie, accompagnées d'une pluie glaciale. Ce monstre qui approchait comptait mettre la mer dans tous ses états. Christophe avait affronté un bon nombre de tempêtes dans sa vie, mais celle-ci avait des allures apocalyptiques. C'était une dévoreuse de navires, il le savait. Dans les prochaines heures, le *Mandeville* allait peut-être faire face à sa dernière tempête.

C'était l'enfer dehors, mais Leonardo n'y prêtait pas la moindre attention. Il était trop absorbé par la lecture du journal de Warress Ferrazini. Les notes de l'alchimiste confirmaient ses craintes. Warress s'était bien servi de lui pour réaliser ses sombres projets contre l'Église. Dès le début, Warress avait prévu que Leonardo se rendrait auprès du père de Médicis pour lui remettre le livre incriminant. Les incendies qui avaient fait rage la nuit du meurtre n'avaient été allumés que pour désorganiser les membres du clergé. Le père de Médicis s'était donc jeté tête première dans un piège sans réfléchir, sous l'impulsion du moment. Dans le chaos total de cette nuit tragique, Warress était parvenu à fuir l'Italie sans difficulté.

Ce livre contenait encore bien des révélations. Son auteur y expliquait en détail les plans futurs de la confrérie. Certaines pages étaient codées, à l'aide d'un chiffrement par substitution basé sur la croix de Malte, communément appelé le chiffre des templiers. Par chance, ce cryptage n'avait aucun secret pour le jeune da Vinci. Ce codage avait peut-être été efficace lors des croisades, mais maintenant il ne l'était plus. Les connaissances de Leonardo lui permirent donc d'apprendre que la confrérie de Warress s'étendait sur toute l'Europe, ainsi que sur une partie de l'Asie de l'Est. La mission de ses membres était simple : déstabiliser les ordres religieux, établir des gouvernements laïcs et prendre le contrôle de certains pays par la force. En Italie, l'organisation avait aussi pour mission d'infiltrer le clergé italien.

En résumé, la confrérie avait pour but d'anéantir toute pratique religieuse. Selon les écrits de Warress, l'évolution du monde en dépendait. Leonardo ne pouvait nier que son ancien professeur n'avait pas tout à fait tort. Au cours des derniers siècles, l'Église s'était opposée à bien des vérités scientifiques. Elle était même allée jusqu'à condamner au bûcher les hommes de science qui avaient osé contredire les écrits divins. Toutefois, l'adolescent ne croyait pas que les actes de Warress étaient justes. Les actions de la confrérie de la Table d'émeraude n'étaient dictées que par la vengeance. Après tout, il s'agissait d'un groupe formé par les descendants des templiers que l'Église avait pour ainsi dire exterminés quelques centaines d'années plus tôt. De cet acte de traîtrise était né un ordre bien différent, plus prudent et surtout beaucoup plus puissant.

Le journal de Warress répondait à certaines questions importantes, mais Leonardo ne se sentait pas rassuré pour autant. Même si l'alchimiste avait bel et bien péri à bord de l'*Émeraude*, cela ne réglait pas les problèmes de l'étudiant de l'atelier avec la confrérie. Ce livre le prouvait, les adeptes de la confrérie n'avaient aucun scrupule à enrôler de force des membres en les menaçant. Au milieu de la tempête infernale qui menait la vie dure au *Mandeville*, Leonardo réfléchit. Il n'était pas question de s'écraser face à la menace que représentait cette confrérie. D'une manière ou d'une autre, il comptait déjouer les plans des descendants des templiers. Sa décision était prise : il allait détruire la confrérie. Mais avant de passer aux actes, il devait tout savoir à son propos.

Sa lecture nocturne n'avait pas fini de le surprendre.

Les vagues qui se déchaînaient contre le *Mandeville* atteignaient des hauteurs vertigineuses. À la barre, Christophe dirigeait le navire dans cet enfer agité. Le vent était imprévisible et semblait provenir de toutes les directions. Le navire pencha dangereusement sur la gauche. À cet instant précis, si une seule vague venait le frapper à tribord, le *Mandeville* serait submergé. Par chance, le bateau se redressa rapidement.

Agrippé au mât, Kimchi priait dans sa langue maternelle. Sans prévenir, un éclair frappa le mât de beaupré. Un incendie s'y déclara aussitôt, mais la pluie était si dense qu'il fut éteint en quelques secondes. « La pièce de bois devra fort probablement être remplacée », songea Christophe. Elle n'offrirait dorénavant plus la même résistance. Le *Mandeville* sembla tout à coup tomber dans le vide. En fait, il était attiré dans le creux d'une vague. Pendant un bref instant, il fut encerclé par des eaux qui le dépassaient d'une dizaine de mètres. L'effet était tout à fait surréaliste et terrifiant. Comme le capitaine l'avait pressenti, la mer souleva le navire. En quelques secondes, le *Mandeville* surplomba l'étendue liquide. L'océan avait formé une montagne d'eau titanesque sur laquelle le voilier semblait n'être qu'un fragile jouet. C'était l'une des visions les plus impressionnantes que Christophe avait vues de toute sa vie. L'océan en furie se dressait de toutes parts, cruel et infini. Tranquillement, l'embarcation pencha vers l'avant. La descente allait être abrupte.

— Yahou ! s'écria Christophe lorsque le navire glissa sur la vague gigantesque.

Quelques secondes plus tard, la montagne liquide derrière le navire se transforma brusquement en précipice engloutissant. Par chance, le *Mandeville* échappa au courant qui voulait l'attirer vers ce gouffre fatal. Christophe devait rester concentré, car des pièges mortels comme celui-ci pouvaient se former sans prévenir. Son talent de navigateur était soumis à rude épreuve. La nuit allait être longue et les jours suivants, tout autant.

Leonardo avait dû arrêter sa lecture, aussi captivante soit-elle, parce que la tempête agitait le navire avec une force incroyable. Pour l'instant, il était plus prudent de s'accrocher fermement en faisant attention de ne pas s'assommer contre les parois étroites de la cabine. Depuis plus d'une heure, les passagers n'avaient eu aucun moment d'accalmie.

Sandro se cramponna au cadre de la cabine de Vera.

— Rien de cassé ? interrogea-t-il en regardant la jeune femme qui s'agrippait fermement à sa commode.

Découragée, Vera souffla :

— Pour l'instant, non, mais la tempête n'est pas terminée. Tu ne peux pas savoir à quel point je déteste les voyages en mer.

— Je partage ton dégoût, affirma Sandro en souriant. Andrea ne me forcera plus jamais à prendre la mer.

Vera sourit sans lâcher son emprise sur le meuble de bois qui était cloué au mur.

— Même s'il l'exigeait ? questionna-t-elle en affichant un sourire malicieux.

— Ma chère Vera, je compte bien devenir travailleur indépendant. J'ai déjà une certaine réputation dans le milieu artistique ; donc, dès que l'occasion se présentera, je quitterai l'atelier. Bien sûr, j'insiste pour que tu demeures mon modèle. Aucune femme ne t'arrive à la cheville.

Cette déclaration prit Vera par surprise. Sandro n'était pas du genre à faire des compliments. Bien entendu, cette louange était peut-être d'ordre strictement professionnel.

— C'est gentil, répondit-elle en rougissant légèrement. Mais tu es vraiment sérieux, tu voudrais avoir ton propre atelier ?

— J'y pense de plus en plus, avoua Sandro. Tu me connais, je n'aime pas être sous les ordres de quelqu'un. Si je veux vraiment devenir un grand maître, je dois être mon propre patron.

Leonardo, qui écoutait la conversation, ne pouvait qu'approuver le désir de Botticelli. De son côté, il ne possédait pas le talent artistique du jeune peintre. Toutefois, Florence avait aussi besoin de scientifiques et d'inventeurs de talent. L'adolescent était tout désigné pour emprunter cette voie. Malheureusement, ce n'était pas à l'atelier Verrocchio qu'il pourrait se perfectionner. Andrea Verrocchio n'était pas un scientifique, mais un artiste. Dans un avenir proche, Leonardo aurait à faire des choix importants pour sa carrière, tout comme Sandro Botticelli.

12
Le monstre des mers

La tempête s'était dissipée après plus de quarante-huit heures en pénétrant dans les terres d'Afrique. Elle avait laissé derrière elle une mer agitée et des marins soulagés d'avoir survécu. Le ciel était maintenant partiellement dégagé. Leonardo sortit de sa cabine après une nuit mouvementée et monta directement sur le pont. La tempête avait laissé de profondes cicatrices au *Mandeville*. Le mât de misaine s'était cassé en deux. De plus, sa voile latine avait mystérieusement disparu. Les deux voiles restantes étaient dans un état lamentable. Elles étaient déchirées à plusieurs endroits et ne permettraient pas au *Mandeville* d'avancer bien vite. Une grande partie de la rambarde du gaillard d'arrière avait aussi disparu. Kimchi s'affairait déjà à réparer les dommages ; il était occupé à scier du bois qu'il avait monté de la cale. Le mât de misaine allait devoir être remplacé, mais pour l'instant l'homme l'arrangeait de façon temporaire. Juan avait convenu d'acheter un nouveau mât dès l'arrivée en Chine, bien que là-bas le mât coûterait trois fois trop cher et serait probablement vendu par un marchand véreux.

Pour sa part, Vito était suspendu à une corde et œuvrait à la réfection de la voile du mât d'artimon.

— Bonjour, tout le monde ! salua Christophe en descendant l'escalier qui menait sur le pont. Nous avons de la chance, les choses auraient pu être pires.

Leonardo retourna son salut au capitaine. Celui-ci semblait de bonne humeur, ce qui était une bonne nouvelle.

— Croyez-vous pouvoir tout réparer ? interrogea l'inventeur.

— Sans l'ombre d'un doute, répondit le capitaine. Ce soir, le *Mandeville* sera redevenu complètement opérationnel.

Juan, qui se trouvait au sommet du grand mât, interpella Christophe d'une voix empressée.

— Qu'y a-t-il ? demanda le navigateur en jetant un coup d'œil vers le nid-de-pie.

— Monte ici au plus vite ! répliqua Juan vivement.

— J'arrive ! lança Christophe en s'agrippant au filet qui menait au poste de garde.

Sandro monta à son tour sur le pont. Il affichait son air matinal habituel, c'est-à-dire qu'il semblait éreinté et confus. Il ébouriffa ses courts cheveux en émettant un long bâillement. Après, il interrogea sur un ton morne Leonardo :

— Alors, nous avons survécu ?

— Il paraîtrait, répondit l'inventeur sans quitter des yeux le nid-de-pie où venait de monter Christophe. J'ai l'impression que quelque chose ne va pas, car Juan a l'air bien nerveux.

— Merveilleux, souffla Sandro avant de redescendre par l'écoutille. Je m'en vais déjeuner.

Décidément, Sandro n'était pas facile à émouvoir.

— Il est gigantesque, déclara le capitaine en regardant l'horizon armé de sa longue-vue.

En effet, le navire qui approchait était des plus imposants. Il s'agissait d'une énorme caraque à trois mâts, d'environ soixante-dix mètres de long. Son pont était haut : il s'élevait d'au moins cinq mètres au-dessus de la surface de l'eau. « Un navire fort difficile à aborder », songea Christophe. Ses six voiles étaient rouges, ce qui était troublant. Une épaisse fumée émanait du pont. Le navire semblait la proie des flammes, mais il avançait toujours.

— Il avance contre le vent, fit remarquer Juan nerveusement. Beaucoup trop rapidement, d'ailleurs.

Christophe avait aussi remarqué que quelque chose clochait avec ce navire. De plus, ses voiles étaient à peine tendues.

Juan réprima un frisson. Cette vision n'augurait vraiment rien de bon.

— Penses-tu à la même chose que moi ? questionna-t-il d'un ton soucieux.

Le jeune Colomb ne répondit pas. Il était trop absorbé par son observation. Plus le navire étranger approchait, plus les éléments inquiétants se multipliaient. Des cordes, qui reliaient chacun des mâts, étaient ornées de dépouilles pendues. Il devait y avoir une vingtaine de corps. Il s'agissait sûrement d'une tactique pour effrayer les autres bateaux. D'après Christophe, c'était bougrement efficace.

— Je pense que ce navire avance alors qu'il ne le devrait pas, déclara le navigateur tranquillement.

La caraque géante était maintenant assez proche pour qu'il puisse apercevoir les occupants.

— Ils sont tous en métal, lança le capitaine qui n'en croyait pas ses yeux.

— Quoi ? s'écria son vieil ami, perplexe.

— Je veux dire que les gens sur le bateau portent tous de lourdes armures en fer. Ils doivent bien peser une tonne. Ils n'ont vraiment pas intérêt à tomber par-dessus bord !

— Une bande de pirates cinglés, murmura Juan en se frottant les moustaches nerveusement.

Le navire approchait à une vitesse constante, dans un mouvement qui semblait artificiel. Sa coque était d'un brun presque noir, à l'exception d'une partie de la proue. Les concepteurs de cette caraque avaient sculpté, fort habilement d'ailleurs, une sorte de dentition à même la coque. Celle-ci avait été peinte dans des tons rougeâtres. Le bateau semblait posséder une gigantesque mâchoire. C'était un navire énorme, qui n'avait pas été construit sur un chantier officiel. Il était unique, magistral et terrifiant.

— C'est une diablerie flottante, souffla Christophe qui ne pouvait détacher ses yeux du navire.

La situation était critique. Cette fois, il ne s'agissait pas de simples brigands espagnols. En fait, Christophe était convaincu que son équipage et lui étaient cuits. Avec les toiles déchirées et le mât de misaine cassé du *Mandeville*, il était impossible d'échapper au navire ennemi. Celui-ci avançait à pleine vitesse contre le vent, ce qui était invraisemblable. Christophe n'était pas superstitieux, mais il devait se rendre à l'évidence : le *Mandeville* venait d'être pris en chasse par le *Léviathan*...

Après avoir été mis au parfum par le capitaine, Leonardo dégringola les marches menant à la cuisine pour avertir ses compagnons de voyage. Sandro et Vera étaient en plein repas.

— Leo, tu m'as l'air bien maladroit ce matin ! plaisanta Vera.

Malgré l'heure matinale, Vera était splendide, comme toujours. Elle n'avait pourtant pas l'obligation de se faire belle ici comme à l'atelier.

— Nous sommes pris en chasse ! s'écria l'inventeur en se remettant debout.

— Pas encore ! s'exclama Sandro, la bouche pleine. Ça commence à être embêtant. Ils n'ont vraiment rien de mieux à faire en mer ?

Leonardo reprit son souffle avant de continuer.

— Cette fois, c'est différent. L'autre navire est énorme ! C'est une grosse caraque à trois mâts.

— Da Vinci, je n'ai pas la moindre idée de ce qu'est une caraque, et je ne veux même pas le savoir, dit Sandro d'un air fatigué.

Christophe descendit à son tour, avec plus d'élégance que Leonardo, toutefois.

— Ma chère Vera, commença-t-il aussitôt sans faire attention aux deux autres, voudriez-vous me suivre ?

— Que se passe-t-il ? questionna la jeune femme.

— Nous allons devoir vous cacher, l'informa le capitaine avec un sourire triste. Suivez-moi, je vous prie.

— Pourquoi ? interrogea Botticelli après avoir avalé un morceau de pain tartiné d'anchois.

— Je ne vous dirai pas ce que feront ces pirates s'ils découvrent une femme à bord, déclara sombrement le navigateur.

Il tourna un regard doux vers Vera.

— Surtout une aussi belle femme que vous, ajouta-t-il avec un sourire. Donc, suivez-moi !

Christophe ouvrit la trappe qui menait dans la cale et descendit. La jeune femme échangea un regard inquiet avec Sandro et Leonardo avant de suivre le capitaine. Christophe se dirigea vers le fond du navire, en dessous des cabines des invités. Le mur du fond était de forme légèrement arrondie. Ce mur paraissait être la coque du navire, mais ce n'était pas le cas. Après que Christophe eut délogé quelques planches, Vera aperçut le compartiment secret.

— Entrez à l'intérieur, Vera. Ce n'est guère confortable, mais c'est tout ce que je peux vous offrir. N'ouvrez sous aucun prétexte, compris ?

La jeune femme hocha la tête avant de pénétrer dans la petite pièce. Le capitaine replaça les planches minutieusement. Le secret était presque parfait, il ne manquait qu'un petit détail. Le jeune Colomb s'empara d'une chaudière et la remplit à même l'eau qui tapissait le sol de la cale. Il jeta son contenu sur le mur et s'assura que celui-ci soit entièrement trempé. Le mur étant humide, les pirates croiraient simplement qu'il s'agissait de la coque du navire. Mis à part un marin fort observateur, personne ne risquait de remarquer que la cale était légèrement trop petite. Sans plus tarder, Christophe remonta sur le pont. Bientôt, l'affrontement aurait lieu.

Il était inutile d'effectuer des manœuvres de fuite. Le monstre approchait et le combat était inévitable. De tous les voyages qu'avait faits Christophe, celui-ci était de loin le pire. Une sombre pensée lui soufflait qu'il s'agirait peut-être de son dernier périple en mer. Juan avait chargé tous les pistolets. Vito avait rempli les canons, même s'ils ne seraient probablement d'aucune utilité. Après tout, le *Mandeville* faisait face à une caraque possédant trente-six canons. Le *Léviathan* le mettrait en pièces d'une seule rafale.

Tout l'équipage était réuni sur le pont. Même Helmet allait participer au combat. Le médecin ne semblait pas plus nerveux que d'habitude ; son détachement paraissait même plutôt inquiétant. Leonardo croyait qu'il devait s'agir de la façon britannique de réagir à une telle situation. Kimchi, lui, était tout à l'opposé : il était nerveux et ne pouvait quitter des yeux le navire ennemi. Leonardo et Sandro tenaient fermement leurs épées ainsi que des pistolets à usage unique. La rencontre était imminente, puisque le bateau adverse n'était plus qu'à deux cents mètres. Dans quelques minutes, le *Léviathan* aurait le *Mandeville* à portée de canons.

— Voici le plan, commença Christophe. Nous allons inviter nos attaquants à monter à bord. Nous déserterons le pont. Si cette tactique peut nous éviter d'avoir à encaisser les coups de leurs canons, ça sera toujours ça de gagné. De plus, s'ils veulent nous voler notre cargaison, ils ont tout intérêt à ne pas nous faire couler.

— Mais après, qu'est-ce que nous ferons ? lança Sandro sur un ton féroce. Allons-nous exterminer les pirates un par un ? Ils peuvent être des centaines à bord sur un navire de cette dimension. Nous ne ferons jamais le poids contre eux !

— Nous n'avons pas d'autre choix, monsieur Botticelli, trancha Christophe froidement. Ce combat ne me plaît pas plus qu'à vous.

Le capitaine n'était pas d'humeur joyeuse et son invité risquait d'envenimer les choses. Christophe n'avait pas beaucoup dormi ces derniers jours. En fait, il n'avait pas fermé l'œil une seule seconde depuis que la tempête s'était acharnée sur le *Mandeville*.

Sandro se tourna vers Leonardo.

— Tu vois dans quel pétrin nous a encore mis Andrea Verrocchio ! chuchota-t-il. Il va causer notre perte, c'est moi qui te le dis.

Leonardo ne répondit rien, mais il était d'accord avec le peintre.

Une puissante détonation déchira l'air. Le *Léviathan* venait d'ouvrir les hostilités. Le projectile rata sa cible et plongea dans la mer à quelques mètres du *Mandeville*.

— Tous à l'intérieur ! cria Christophe en fonçant vers la porte sous le gaillard d'arrière.

13
Combat inégal

— Après que les pirates auront monté à bord, nous serons à l'abri des coups de canons, déclara le capitaine. Ils ne tireront pas sur les leurs.

Les sept hommes attendaient silencieusement dans la première pièce située sous le gaillard d'arrière. L'effroi était palpable.

Une trompette se fit entendre en provenance du côté du bâbord. Le *Léviathan* devait se trouver à une dizaine de mètres tout au plus. Christophe était légèrement rassuré, car l'ennemi n'avait pas refait feu.

— Suivez-moi, chuchota-t-il en se déplaçant vers la cabine d'Helmet.

Sur le mur à tribord était disposé un grand cadre de bois sculpté. Il contenait un plan géographique détaillé représentant l'Europe. Christophe le retira avant de le jeter sur le hamac du médecin, non sans un reproche de ce dernier. Leonardo commençait à saisir les desseins du capitaine. Sous le cadre se dissimulait une trappe qui donnait accès au flanc du navire. Christophe passa la tête par l'ouverture et inspecta les lieux.

— Parfait ! souffla-t-il. J'avais peur que les pirates envoient une barque à tribord. Moi, si j'avais leur effectif, c'est ce que j'aurais fait.

Il tourna son regard vers le groupe. Malgré la situation critique, le jeune Colomb semblait désormais surexcité.

— Maintenant, nous allons sortir et nous suspendre au flanc du navire, expliqua-t-il rapidement. Agrippez-vous à la rambarde, vous n'avez vraiment pas intérêt à glisser. Je vous laisse imaginer ce que les pirates vous feront s'ils vous trouvent dans l'eau.

Leonardo et Sandro échangèrent un regard inquiet.

— Mes amis, je vous conseille d'attacher votre épée à votre ceinture, dit Vito qui s'affairait déjà à la tâche.

Christophe fut le premier à sortir par la trappe. En peu de temps, ses compagnons et lui furent tous suspendus au flanc tribord du *Mandeville*. Les parois du navire étaient très glissantes puisqu'elles étaient constamment trempées. Si les deux artistes de l'atelier Verrocchio peinaient à y rester agripper, ce n'était toutefois pas le cas du reste de l'équipage. Vito se déplaçait avec une aisance déconcertante ; l'ancien maraudeur était dans son élément. Lorsque Leonardo arriva au niveau du pont, il jeta un œil à travers les barreaux de la rambarde de bois. Le voilier ennemi s'était arrêté à quelques mètres à peine du *Mandeville*. C'était une construction immense : ce bateau était deux fois plus long que la caravelle. Son pont était surélevé, de sorte que les pirates n'auraient qu'à sauter pour atterrir sur le *Mandeville*.

— Tous à l'attaque ! Rapportez-moi tout ce qui a de la valeur et surtout... tuez-les tous ! s'écria une voix étrangement métallique en provenance du gaillard d'arrière du bateau ennemi.

L'homme avec cette curieuse voix était pour l'instant invisible. Mais il était évident que ces ordres n'avaient été lancés par nul autre que le capitaine.

Le premier intrus fit son apparition ; il s'agissait d'un colossal monstre de fer. Il atterrit bruyamment sur le pont. Une armure stylisée recouvrait entièrement son corps. Son visage était protégé par un masque de fer représentant les traits d'un homme sans aucune expression. Son front métallique était muni d'un troisième œil : une pierre précieuse enchâssée qui devait valoir à elle seule une petite fortune. Toutefois, ce qui surprit le plus Leonardo était le sommet du casque de l'adversaire. Celui-ci se terminait par une tête de poisson, dont la bouche béante était dirigée vers le ciel. En fait, le rubis rougeoyant qui ornait le front de l'ennemi faisait office d'œil globuleux à cette créature marine d'acier. Dans un style semblable à celui des samouraïs japonais, le casque était muni d'une série de lamelles de fer ayant pour fonction de protéger le cou de son propriétaire. Dans ce cas précis, elles représentaient aussi les nageoires du poisson.

Leonardo ne se serait pas attendu à voir une aussi étonnante œuvre d'art sur la tête d'un pirate. En fait, l'ensemble de l'armure dégageait une allure artistique. L'homme portait aux épaules une paire de spalières articulées couvertes de gravures faisant référence à la mythologie grecque. Un artiste doué avait aussi méticuleusement buriné une étendue d'écailles sur l'ensemble du gorgerin qui protégeait le cou du pirate jusqu'à la mâchoire.

Après une inspection rapide, Christophe ne décela chez l'adversaire aucun point faible à exploiter, mis à part son poids. La meilleure tactique était de jeter par-dessus bord les ennemis, la gravité se chargerait du reste. Le *Mandeville* fut secoué quand d'autres pirates atterrirent. Tous étaient munis de haches démesurées et portaient des armures aussi belles qu'inattaquables. Les pirates formaient une étrange horde de créatures de fer. L'un d'entre eux portait un casque représentant une tête de bouc légèrement humanoïde. Sous cet accoutrement menaçant se cachait un homme anormalement musclé.

Il y avait maintenant une dizaine d'adversaires sur le pont ; le moment était venu d'attaquer.

— Allez ! s'écria Christophe en sautant sur le pont d'un seul bond.

Le capitaine du *Mandeville* s'élança vers le colosse à tête de bouc et tenta de le jeter par-dessus bord d'un coup de pied. Ce fut comme s'il frappait un mur : le monstre de fer ne bougea pas d'un centimètre. Embêté, Christophe se remit debout. Il recula juste à temps pour éviter l'avant-bras énorme du monstre. Juan, lui, n'avait pas perdu de temps. Il s'était rué sur un canon et l'avait tourné vers l'un des rivaux. Si les armes conventionnelles ne pouvaient rien contre eux, ce ne serait pas le cas avec cette artillerie lourde. Le cartographe du *Mandeville* fit feu vers l'envahisseur. Le pirate fut propulsé hors du navire à plus d'une dizaine de mètres.

— Un de moins ! s'écria Juan en évitant de peu un coup de hache mortel.

L'attaque venait du truand au crâne de poisson. Le marin recula et fit feu de l'un de ses pistolets. Les projectiles multiples atteignirent l'homme masqué au visage. Celui-ci recula d'un pas. Il semblait désarçonné, mais le coup ne lui avait causé aucune blessure. Juan s'agrippa fermement à un cordage et s'élança de tout son poids vers le bandit confus. Il parvint à le faire tomber à la renverse.

Kimchi, le brave Coréen sexagénaire, se débrouillait plutôt bien pour son âge. Sans hésiter une seule seconde, il s'était jeté sur le gigantesque titan à la tête de bouc et lui avait soustrait son arme. Le charpentier du *Mandeville* ruait de coups le pirate. Les efforts du vieil homme n'avaient pour effet que de bosseler l'armure du géant. Toutefois, cela maintenait celui-ci au sol.

Leonardo parvint enfin à se hisser sur le pont. Sandro dut l'aider à enjamber la rambarde.

— Tu es vraiment un boulet, da Vinci ! émit Botticelli, découragé.

Arrivant de l'autre côté du pont, d'autres pirates vinrent se joindre au combat. La bataille devenait de plus en plus inégale. L'un des pirates, qui venait d'apercevoir les deux étudiants, fonça dans leur direction, hache à la main. Leonardo se jeta littéralement sur Botticelli et le poussa contre le mur du gaillard d'arrière. L'arme du truand alla se ficher dans la partie de la rambarde grâce à laquelle l'inventeur et le peintre venaient à peine de monter. Sandro jeta son épée sur le sol en ne cachant pas sa rage. Il fusilla du regard le pirate qui tentait de libérer son arme coincée.

— Ces pirates n'ont aucun honneur ! s'écria Sandro avec rage. Attaquer quelqu'un dans le dos ! Même toi, da Vinci, tu ne descendrais pas aussi bas.

Leonardo fronça les sourcils. Même dans les pires moments, Botticelli trouvait le moyen de l'insulter. Sans plus attendre, Sandro courut jusqu'à l'une des barques du *Mandeville* et en retira l'une des rames. Leonardo regardait la scène d'un œil perplexe. Sandro vint administrer un puissant coup sur le crâne du brigand qui s'acharnait toujours à dégager son arme. Le choc résonna sur le pont comme un grand coup de gong et le pirate s'effondra.

— On ne nous apprend pas ça à l'atelier ! dit Botticelli, amusé. Allez, da Vinci, prends-toi une rame et accompagne-moi dans cet air mélodieux !

Sandro pivota rapidement sur lui-même et abattit son arme contre le casque d'un pirate qui lui tournait le dos. Celui-ci s'effondra comme un sac de sable sur le pont.

— Moi aussi, je peux jouer à ce jeu ! affirma le peintre, triomphant.

La méthode du jeune artiste semblait, pour le moment, la plus efficace contre les pirates de fer. Pour sa part, Vito avait immobilisé un ennemi et était parvenu à en jeter un autre par-dessus bord. Leonardo abandonna son épée et roula jusqu'en direction des barques. Il sauta à l'intérieur d'une embarcation car il voulait lui aussi une rame. Au moment où le garçon saisissait son arme de fortune, un son inquiétant en provenance du *Léviathan* attira son attention. On aurait dit que de sombres rouages se mettaient en branle à l'intérieur du monstre de bois. Le voilier ennemi se mit aussitôt en mouvement en émettant une étrange vibration. L'inventeur leva les yeux et vit que le brasier sur le pont du navire adverse flambait de plus belle. D'un seul coup, Leonardo comprit le stratagème. Le *Léviathan* n'avançait pas tout seul : un mystérieux mécanisme en son antre lui permettait de se déplacer. « Il doit s'agir d'un incroyable dispositif », songea-t-il en contemplant le navire avec admiration.

Pendant que l'adolescent regardait le bateau, une dizaine de petites portes s'ouvrirent sur le flanc de celui-ci. Des canons soudain en jaillirent. L'inventeur comprit avec frayeur ce qui se préparait. Le *Léviathan* positionnait ses artilleries en direction du combat et allait faire feu. Mais c'était impensable car, après tout, son équipage était toujours à bord du *Mandeville*. Une idée troublante vint à l'esprit de Leonardo : le capitaine du monstre des mers ne s'en souciait peut-être guère. Pour confirmer ses craintes, les premiers tirs de canons déchirèrent l'air. Des projectiles traversèrent le pont du *Mandeville* ; ils causèrent d'énormes dégâts. Une boucherie sanguinaire venait de commencer. Un boulet de bonne taille alla percuter la barque dans laquelle se trouvait Leonardo. L'étudiant de l'atelier fut projeté hors de l'embarcation et termina sa course contre la rambarde de bois. Il tenta de toutes ses forces de se remettre debout, mais ce fut en vain. La dernière vision qu'il eut fut celle de Botticelli qui faisait face à deux pirates impitoyables. Puis tout devint noir.

Leonardo observait la voile trouée du grand mât. « Le ciel est d'un bleu surréaliste », songea-t-il. Il ignorait depuis combien de temps il était là, couché sur le sol à fixer le ciel sans bouger. Il régnait un silence de mort sur le *Mandeville*. Leonardo savait qu'il y avait de fortes chances qu'il fût momentanément sourd. Même le froissement des voiles n'émettait aucun son. Tranquillement, le murmure du vent se fit entendre à nouveau. Dans un effort surhumain, le jeune da Vinci se remit debout. La barque dans laquelle il avait pris place avant l'attaque n'était plus qu'un amoncellement de planches brisées. Le *Mandeville* au complet était dans un sale état.

À première vue, il semblait être le seul à bord à s'être tiré indemne de l'affrontement. Avec un certain soulagement, Leonardo aperçut le *Léviathan* qui s'éloignait à l'horizon. Sans plus attendre, il se lança à la recherche de survivants. Il y avait des corps un peu partout sur le pont du navire, surtout ceux de pirates en armure. Leonardo trouva rapidement Vito et Kimchi, mais les autres membres du *Mandeville* étaient introuvables. Le vieux Coréen était étalé de tout son long. Il semblait sérieusement blessé à une jambe, mais il était toujours vivant. L'inventeur décida de venir tout d'abord en aide à son ami. En s'approchant, il constata que Vito n'avait aucune blessure apparente. Une simple claque au visage suffit à le réveiller.

Son compagnon le dévisagea, perplexe, avant d'afficher son sourire habituel.

— Leo, c'est incroyable que tu ne sois pas blessé ! s'écria-t-il en se remettant debout.

Sa bonne humeur s'évanouit lorsqu'il posa les yeux sur le gaillard d'arrière. En effet, une partie de celui-ci était en feu.

— Par les têtes de Chronos ! s'exclama Vito en disparaissant par l'écoutille. Je me charge de l'incendie. Toi, trouve Helmet.

Le rouquin remonta sur le pont avec une chaudière en bois. Il attacha une corde au seau et le projeta pardessus bord. Rapidement, il lança une première bordée d'eau sur le brasier avant de recommencer l'opération.

— Active-toi un peu, Leonardo ! s'impatienta Vito en redescendant l'escalier pour jeter de nouveau sa chaudière à la mer.

— Oui, oui, j'y vais ! répondit l'inventeur qui scrutait le pont des yeux.

Une trace de sang maculait le sol jusque devant le gaillard d'arrière. Leonardo décida de suivre cette piste. En entrant dans la pièce, il découvrit Juan. Le cartographe était occupé à serrer un bandage autour de sa jambe.

— Leonardo ! s'écria-t-il, surpris. Je suis heureux de constater que vous vous en êtes bien sorti. Par contre, Helmet a été moins chanceux...

Le jeune homme à la fine moustache tourna un regard triste vers le médecin, étendu à quelques mètres de lui. Celui-ci avait les yeux grands ouverts. Leonardo s'avança et s'agenouilla près du Britannique. Il n'y avait pas de doute à avoir : Helmet Jones était mort. Une tache sombre au centre de son pourpoint témoignait d'une blessure fatale au cœur.

— Qu'est-ce qui vous est arrivé à la jambe, Juan? interrogea l'inventeur.

Le garçon n'avait d'autre choix que de s'improviser médecin, car il était le seul à bord qui possédait quelques connaissances dans ce domaine.

— Un éclat de bois s'est fiché dans ma jambe, répondit Juan en examinant sa plaie. Je suis parvenu à le retirer en entier.

— Je vous conseille de désinfecter votre blessure sans plus tarder, recommanda Leonardo en se remettant debout. Je vais chercher le matériel d'Helmet dans sa cabine.

— Très bien, dit le cartographe qui se leva péniblement.

Juan sortit de la pièce pour s'occuper des blessés. Leonardo vint lui remettre la trousse du médecin, puis il rejoignit sans tarder le Coréen blessé. Kimchi avait repris conscience et tentait désespérément de dire quelque chose.

— Calmez-vous, dit Leonardo. Ce n'est pas bon pour vous de vous agiter ainsi.

Il regarda le pied droit du vieil homme ; il n'en restait plus grand-chose. Il faudrait sûrement l'amputer. C'était probablement la raison de la fébrilité du marin. Kimchi mit son index devant ses yeux et le dirigea ensuite vers le large, du côté tribord. Perplexe, Leonardo alla jeter un œil dans la direction désignée.

— Christophe ! s'écria l'inventeur qui venait de comprendre ce que Kimchi avait tenté de lui expliquer.

Le capitaine flottait à une dizaine de mètres du navire. Vito, qui remontait l'escalier pour la ixième fois, aperçut lui aussi le corps.

— Je m'en occupe ! s'écria-t-il en traversant la partie du gaillard d'arrière qui n'était pas en flammes.

Il prit son élan et plongea dans la mer. Juan prépara une corde pour hisser le capitaine à bord. Vito nagea jusqu'au jeune homme inconscient. Christophe flottait, parfaitement immobile. À première vue, le navigateur ne semblait plus respirer. En s'efforçant de ne pas songer au pire, l'ancien maraudeur tira Christophe jusqu'au *Mandeville*. Il ne fallut ensuite que quelques secondes pour le remonter à bord. Aussitôt de retour sur le bateau, le vaillant Pazzi retourna combattre l'incendie sans même reprendre son souffle.

Juan se pencha sur Christophe pour vérifier la respiration du capitaine.

— Il est mort, déclara-t-il en regardant intensément son ami de toujours. Christophe est mort…

Leonardo quitta Kimchi et vint poser sa main contre le torse du capitaine. Le cœur ne battait plus.

— Il s'est noyé, dit-il.

Il leva son bras bien haut et l'abattit violemment contre la cage thoracique de Christophe.

— Qu'est-ce que vous faites ? s'écria Juan, outré.

— Le cœur s'est arrêté, dit Leonardo en frappant de nouveau. Cet organe fonctionne par pulsations. Si je peux le stimuler, il se remettra peut-être en marche. Je dois avouer que ce n'est qu'une simple théorie, mais nous n'avons rien à perdre.

— Sans vouloir vous insulter, j'estime que vous perdez votre temps, dit Juan.

La cinquième fois que Leonardo le frappa, Christophe se redressa abruptement et lui cracha une quantité étonnante d'eau de mer au visage.

— Ça m'a fait bien plaisir, dit le jeune inventeur en s'essuyant le visage. Après tout, à chacun sa manière de dire merci !

Le navigateur toussa durant plusieurs minutes. Puis il questionna, d'une voix étranglée :

— Le *Léviathan* ?

— Il est reparti, l'informa le cartographe en jetant un coup d'œil du côté où le voilier disparaissait au loin. Helmet est mort et Kimchi est gravement blessé.

Christophe, un peu déboussolé, regarda autour de lui d'un air inquiet.

— Où est Sandro Botticelli ? demanda-t-il à Leonardo.

L'inventeur bondit. Il avait complètement oublié le peintre. Sans attendre une seconde de plus, il inspecta le navire en entier. Sandro Botticelli était introuvable. Leonardo descendit à la cale. L'endroit avait été presque entièrement pillé ; les pirates n'avaient laissé qu'un seul baril d'eau et quelques vivres. L'adolescent alla libérer Vera qui se trouvait toujours dans la petite pièce dissimulée. La jeune femme sortit de sa cachette, un air terrifié plaqué sur le visage. Elle savait quelque chose que tous ignoraient.

— Leonardo, j'ai entendu Sandro hurler sur le pont. Je crois que les pirates l'ont forcé à monter à bord de leur navire.

Les yeux de l'inventeur s'agrandirent. Vera venait de confirmer ses craintes.

14
Dans le ventre du monstre

Lorsque le *Léviathan* avait arrosé de ses canons le pont du *Mandeville*, tous étaient tombés. Autant les hommes de Christophe que les pirates. Sandro avait été le premier à se relever. Complètement désarçonné, Botticelli n'avait pas été en mesure de repousser les attaquants qui avaient bondi du pont du *Léviathan*. Un colosse avait atterri à quelques mètres de lui. Le masque de fer de l'ennemi arborait les traits d'un vieil homme barbu au visage rageur. Sur son torse musclé, qui épousait la forme de son armure, le mot *Charon* était écrit en lettres grecques. Sandro avait tenté maladroitement de frapper l'intrus avec son arme, mais ses efforts s'étaient avérés vains. L'homme l'avait désarmé sans aucun effort à l'aide d'une longue et magnifique rame en or. Il lui avait ordonné de se rendre d'une voix à la résonance étrangement métallique. Ce son était fort inquiétant.

Sandro s'était montré bien peu réceptif et Charon l'avait frappé avec sa rame. Ensuite, les choses s'étaient déroulées très rapidement. Le géant l'avait tiré de force à bord du monstre de bois. Du pont du *Léviathan*, Sandro avait constaté que les pirates pillaient la cale du *Mandeville*. Il avait été rassuré de voir qu'aucun d'eux n'avait décelé la présence de Vera. Les pirates avaient ensuite froidement jeté par-dessus bord leurs compagnons gravement blessés ; certains d'entre eux avaient crié leur mécontentement avant de disparaître dans les eaux sombres de l'Atlantique. Ces bandits n'éprouvaient aucune pitié pour qui que ce soit. Peu après, le peintre avait vu l'un des hommes jeter Christophe Colomb à la mer. Il en était venu à la conclusion que le capitaine était mort. Impuissant contre ses ennemis, Sandro avait regardé le *Mandeville* s'éloigner. Il était maintenant prisonnier à bord du *Léviathan*.

— Êtes-vous le capitaine ? interrogea Sandro en dévisageant l'homme de fer qui le retenait durement par l'épaule.

— Tais-toi, sinon je te coupe la langue ! répliqua le pirate à la rame d'or.

La menace de son ravisseur lui paraissant convaincante, Sandro décida d'obtempérer. Le pirate et lui étaient tous deux sur le pont. Il y régnait une activité intense, car les membres d'équipage s'affairaient à descendre leur butin à la cale. Leurs armures produisaient un vacarme métallique assourdissant. L'homme au masque de vieillard inspectait le travail des pirates avec attention, criant des ordres par moments. Sandro jeta un coup d'œil à l'autre bout du pont, près du gaillard d'arrière. Depuis que le navire s'était remis en branle, une épaisse fumée s'échappait d'une large cheminée en bronze qui s'y trouvait. Ce puits ardent avait la forme d'une gigantesque mâchoire couronnée de dents acérées. C'était comme si la gueule d'une créature énorme émergeait des planches du pont. Les dents de la cheminée étaient recouvertes d'une épaisse couche de suie qui provenait des profondeurs du navire. Des hurlements de souffrance montaient de l'intérieur du *Léviathan*. Sandro réprima un frisson à l'idée que des gens étaient torturés à bord et que son tour viendrait sans nul doute.

— C'est le Gosier de l'enfer, dit Charon qui avait perçu la curiosité du jeune homme. Je te déconseille de t'en approcher. Tu n'en reviendrais pas.

— C'est fort éducatif ! souffla Sandro d'un ton sarcastique.

Par les cavités du masque de fer de son adversaire, Sandro put voir Charon le fusiller du regard. Le pirate leva haut sa rame et s'apprêtait à l'abattre sur l'insolent quand quelqu'un intervint.

— Assez ! cria une voix venant du seuil d'une grande porte sous le gaillard d'arrière.

Charon arrêta son bâton à quelques centimètres de la tête de Sandro. Le coup aurait tué le peintre sans aucun doute. L'attaquant éloigna sa rame en émettant un grognement furieux. Sandro prit bonne note de ne plus embêter ce pirate à l'avenir. L'homme qui venait de lui sauver la vie s'avança. Il portait la plus belle armure de tout l'équipage. Elle était ornée de pièces d'or et de joyaux. Son casque, assez semblable à celui d'un samouraï, avait les traits d'un vieil homme barbu. Toutefois, son apparence n'avait rien à voir avec celle du masque de Charon. Les traits en étaient beaucoup plus nobles, et la barbe métallique était taillée finement. Sa bouche, surmontée d'une moustache de forme triangulaire, affichait une expression hostile. Ce masque était la représentation parfaite de l'autorité et de la noblesse. Sur les spalières, qui protégeaient entièrement les épaules du pirate, Sandro remarqua des dragons de mer sculptés dans l'or le plus pur. Des genouillères au gorgerin, l'armure de cet homme avait été confectionnée dans les plus grandes règles de l'art. Un travail hautement supérieur aux armures réalisées à l'atelier Verrocchio.

— Apprenez à contrôler votre rage, monsieur Charon, conseilla l'homme en s'approchant. Sinon vous me verrez obligé de vous faire jeter par-dessus bord.

— Pardonnez-moi, capitaine, souffla l'homme à la rame d'or.

Le capitaine tourna son regard vers Sandro.

— Toi qui entres ici, abandonne toute espérance, déclara-t-il froidement.

Sur ces paroles peu rassurantes, Charon s'éloigna, la tête basse. Le capitaine sortit une épée d'un étui fixé à sa taille et la dirigea vers Sandro. Il annonça solennellement :

— Deux choix s'offrent à toi, jeune homme : servir sur le *Léviathan* ou mourir. Que décides-tu ?

Sandro n'avait aucun doute : il serait tué sur-le-champ s'il décidait de ne pas s'engager à bord du navire pirate.

— Je vais servir à bord, répondit-il rapidement.

— Quelle est ta profession ? interrogea le capitaine de sa voix puissante.

— Je suis un artiste. Je travaille dans un atelier à Florence.

Le capitaine demeura silencieux durant un bref instant. Il baissa enfin son arme.

— Lequel ? questionna-t-il.

Sandro se demandait ce que cela pouvait bien faire. Après tout, qu'est-ce qu'un pirate connaissait à l'art ?

— L'atelier de monsieur Verrocchio, répondit Sandro sans grand enthousiasme.

— Nous avons donc à bord un élève d'Andrea Verrocchio ! s'exclama l'homme de fer. Quelle drôle de surprise. Ce vieux bouffon est toujours en activité. Intéressant... Travaille-t-il encore avec cet inepte de Donatello ?

Sandro était étonné d'apprendre que le capitaine connaissait Andrea. Il se demandait qui pouvait se cacher sous cette armure de fer.

— Donatello est mort il y a environ deux ans.

— Magnifique ! Tu es porteur de bien bonnes nouvelles. Quel est ton nom, jeune homme ?

— Tous m'appellent Botticelli, dit le peintre en redressant les épaules.

— Je suis le capitaine Lucifiore Santini. C'est moi le seul et unique maître à bord. Mon cher Botticelli, tu nous seras très utile. Tes talents artistiques te permettront de travailler à l'armurerie.

Le capitaine tira Sandro jusqu'à la large porte d'où il était apparu plus tôt. Le battant était orné d'un cadre de bois magnifiquement sculpté. Des centaines de visages en détresse y étaient représentés dans un réalisme troublant. Une inscription en italien surplombait la porte : il s'agissait d'un avertissement à ceux qui comptaient la franchir.

Par moi, on franchit le seuil d'un autre monde
Par moi, on va dans l'éternelle douleur
Vous qui entrez, abandonnez toute espérance

Ces trois phrases n'avaient rien pour rassurer le peintre. Lucifiore le poussa à l'intérieur avant de le rejoindre en émettant un rire ironique.

Charon retourna à son poste. Il était le surveillant des prisons qui se trouvaient sous le gaillard d'avant. Il était de mauvaise humeur ; il espérait donc retrouver la joie en torturant quelques prisonniers impuissants.

Le navire était divisé en trois grandes parties. La première était le gaillard d'avant qui comportait plus de neuf étages de prisons. Ces niveaux avaient été baptisés les « neuf cercles de l'enfer ». Il s'agissait d'étages peu élevés où la température atteignait des chaleurs étouffantes. L'air y était humide et poisseux. La douleur et le désespoir régnaient à chacun des niveaux. C'était le domaine de Charon. La deuxième partie englobait tous les étages se trouvant sous le pont. Dans cette section il y avait, entre autres, les chambres des membres d'équipage. Le responsable de cette tranche du navire était Minos, un technicien étrange qui n'était guère estimé de la plupart des pirates. Finalement, la troisième partie se trouvait sous le gaillard d'arrière et contenait cinq étages. Trois d'entre eux étaient occupés par les canons. Cette portion du navire, primordiale pour la défense du voilier, était gérée par Cerbère, un maître en ce qui concernait les combats navals. Chacune des sections n'était reliée qu'en surface. En effet, sous la ligne de flottaison, les parties étaient totalement indépendantes. De plus, les murs qui les séparaient étaient parfaitement étanches. La raison en était simple : dans l'éventualité où une partie de la coque serait durement endommagée, les murs protégeraient le *Léviathan* d'un naufrage.

Charon pénétra sous le gaillard d'avant en tenant fermement sa rame d'or. Il était bien décidé à faire crier des innocents. Il décida d'aller jusqu'au dernier étage, le neuvième cercle. Il y avait là-bas un prisonnier bien spécial. Ce lascar était parvenu à tuer plus de quatre gardes et avait tenté de s'échapper à trois reprises. Il méritait bien quelques bons coups de rame. Charon était convaincu que cet exercice allait lui redonner un peu le sourire.

Sandro entra dans une grande pièce dont les murs de bois étaient tapissés d'armures scintillantes. Lucifiore le poussa violemment au centre de la pièce. Le peintre perdit pied et tomba durement contre le plancher de bois. Partout, de lourdes cuirasses étaient suspendues au plafond à l'aide de solides chaînes. Les pièces de fer s'entrechoquaient à chacun des mouvements du navire. C'était une cacophonie très agaçante aux oreilles de Sandro. La salle était éclairée par des chandelles suspendues à plusieurs lustres qui se balançaient constamment. L'effet de lumière était pour le moins effrayant.

— Ne bouge pas, ordonna l'homme en armure d'une voix sévère.

Il se rendit jusqu'au fond de la pièce où se trouvaient plusieurs grandes commodes en bois sculpté. De ses mains gantées, il sortit d'un tiroir un gambison taché de sang. Ce vêtement, assez répandu au Moyen Âge, était fabriqué dans un tissu très épais. Le gambison se portait généralement sous une cuirasse. Il servait à protéger son porteur de l'abrasion ainsi qu'à répartir les impacts que recevait l'armure. Sans ce vêtement, un coup, même paré par la cuirasse, pouvait être extrêmement douloureux.

Lucifiore lança la tenue à l'artiste.

— Mets ça sans discuter ! ordonna-t-il.

Sandro hésita quelques instants, car le gambison était crasseux et maculé de sang. À contrecœur, il se résigna à l'enfiler. Le capitaine inspecta plusieurs cuirasses avant d'arrêter son choix. C'était une belle pièce, comme toutes les autres armures portées à bord du *Léviathan*. Lucifiore la décrocha de ses chaînes et s'approcha de son prisonnier.

— Voilà ta cuirasse, annonça-t-il en aidant Sandro à l'enfiler. À bord du *Léviathan*, tout le monde en porte une.

— Pourquoi ? interrogea le peintre d'une voix incertaine.

Lorsque l'armure fut installée correctement, Lucifiore agrippa Botticelli par les épaules et le fit pivoter. Il lui installa un gorgerin qui lui recouvra l'ensemble du cou et le haut du torse, même si celui-ci était déjà protégé par la cuirasse. La pièce était forgée en deux parties, reliées à l'avant du cou par deux solides pentures de fer. Le gorgerin se refermait à l'arrière du cou, où on pouvait le nouer avec un cordage en cuir. Toutefois, le capitaine ne l'attacha pas de cette manière ; il opta plutôt pour un lourd cadenas. De cette façon, Sandro ne pourrait pas enlever son armure. Il devrait la porter en tout temps.

— La raison en est bien simple, mon jeune Botticelli, répondit finalement Lucifiore d'un ton rieur. Avec ce poids sur les épaules, les marins ne songent pas à sauter par-dessus bord lorsqu'ils aperçoivent des terres au loin. La seule raison qui pourrait les convaincre de se jeter à l'eau serait une envie irrésistible de mourir.

— Ce désir serait entièrement déplacé de ma part. Vous semblez tous si sympathiques. L'ambiance doit être superbe à bord.

Lucifiore administra une bonne claque sur l'épaule de Sandro. Celle-ci se voulait probablement amicale, mais l'artiste ne put réprimer un gémissement.

— Tu es un vrai petit farceur ! s'écria joyeusement le capitaine. Mais bientôt, tu ne riras plus ! Maintenant, suis-moi. Je vais te faire visiter mon navire. Profite de ce moment de répit, car il n'y en aura plus par la suite.

Sandro regarda son armure. Il se demandait pendant combien de temps il parviendrait à soutenir ce lourd attirail. Le capitaine et lui retournèrent sur le pont et se dirigèrent ensemble jusqu'au gaillard d'avant.

— Sache que nos prisonniers n'ont pas tous ta chance, dit Lucifiore en tournant son regard vers Sandro. Mais je ne peux me montrer totalement inhospitalier avec un élève d'Andrea.

— Vous le connaissez bien ? interrogea Sandro.

— Nous avons été formés ensemble, mais je ne l'aimais pas plus qu'un autre.

— Voilà une chose que nous avons en commun, déclara le peintre froidement.

Le capitaine leva sa main vers la cheminée dentée.

— Charon t'a sûrement parlé du Gosier de l'enfer. Il a été confectionné en une seule pièce. Sa fonction première est d'évacuer la chaleur mortelle qui gronde au cœur du navire, mais il s'agit aussi de ma plus grande fierté.

— L'avez-vous tout d'abord sculpté en cire ? interrogea Sandro en oubliant momentanément la terreur qui l'habitait.

Il s'approcha pour contempler l'œuvre d'un œil critique. Il ne pouvait nier qu'il s'agissait du travail d'un artiste de grand talent. Une épaisse fumée s'échappait toujours entre les dents de bronze du Gosier de l'enfer.

— En effet, acquiesça Lucifiore en caressant la pièce de sa main gantée.

— C'est une belle réalisation, déclara Sandro sincèrement. Elle est très jolie.

Sandro leva son regard vers le ciel. Il inspecta attentivement les cordages qui reliaient les trois mâts. Les corps qui y étaient suspendus paraissaient avoir été sculptés dans le bois. Ces fausses dépouilles avaient été réalisées de façon très réaliste ; l'effet en était saisissant. Cependant, quelque chose d'autre le troublait davantage : les voiles n'étaient pas déployées et pourtant le navire avançait à bonne vitesse.

— Comment faites-vous avancer ce navire sans vent ? questionna-t-il sans savoir si le capitaine accepterait de lui révéler le secret.

Botticelli n'était pas du genre à croire à la magie. Il y avait sûrement une explication logique derrière ce mystère. Lucifiore le fixa quelques secondes avant de parler.

— Qui a œuvré à la réalisation de la seconde porte du baptistère Saint-Jean à Florence ? interrogea-t-il d'une voix sérieuse.

La question surprit Sandro, qui répondit néanmoins avec certitude :

— Lorenzo Ghiberti, entre 1403 et 1424. Il s'est fort étalé sur cette œuvre, mais quelle jolie pièce !

Sandro avait souvent admiré Ghiberti, car l'homme était l'un de ses artistes préférés.

— Bonne réponse, dit le maître à bord, satisfait. Mon cher Botticelli, je vais donc te révéler le secret de mon navire.

Le capitaine du *Léviathan* était un homme bien étrange. Sandro et lui abandonnèrent la cheminée et descendirent par l'écoutille du pont. Le peintre put apercevoir une très spacieuse cuisine, gérée par plusieurs cuisiniers en armure. Probablement pour mieux les distinguer des autres pirates, leurs cuirasses étaient faites d'or. Sur le même palier se trouvait une chambre d'équipage dans laquelle étaient entassés des centaines de hamacs. Lucifiore et Sandro descendirent un autre étage et débouchèrent dans une pièce spacieuse. Il s'agissait, encore là, d'une chambre d'équipage. Plusieurs hommes y dormaient dans des hamacs. Même durant leurs heures de repos, les pirates gardaient leur attirail de fer.

— Tu ne dormiras pas dans cette chambre puisque tu es un prisonnier et non un membre d'équipage, dit le capitaine à Sandro sans s'arrêter.

Le plancher vibrait d'une drôle de façon. Botticelli se demandait comment ces hommes arrivaient à dormir dans de telles conditions. Il suivit le capitaine jusqu'au fond de la pièce où se trouvait une trappe dans le plancher. Lucifiore ouvrit l'ouverture et s'engagea sur une solide échelle en fer. Une vague de vapeur étouffante s'échappa aussitôt de la trappe. La température devait être insoutenable en bas. Malgré tout, Sandro suivit son guide sans discuter. De toute manière, il n'avait guère le choix.

Ils arrivèrent enfin dans la pièce la plus profonde du navire : sa hauteur était d'environ dix mètres. « Elle doit être entièrement submergée de l'extérieur », songea Sandro, consterné. Le navire n'avait donc aucun intérêt à naviguer en eau peu profonde. Il risquerait de s'échouer ou, pire, de broyer sa coque contre le fond marin. Le peintre constata avec étonnement que le plancher était en fer.

— Bienvenue dans le cœur du *Léviathan* ! déclara le capitaine fièrement.

C'était une longue pièce de forme rectangulaire. Des centaines de rouages fort mystérieux s'agitaient dans un mouvement continu. Des tuyaux rongés par la rouille crachaient de gauche à droite des nuages de vapeur de façon irrégulière. Sandro était convaincu que Leonardo aurait adoré voir cet endroit. Il lui aurait volontiers cédé sa place, d'ailleurs. Au-dessus de sa tête était suspendu un large cylindre en fer. De longues poutres le maintenaient solidement en place, ainsi que quelques chaînes au plafond. C'était de cette énorme machine que provenait l'étrange vibration. Quelque chose semblait bouillir à l'intérieur. De ce cylindre pendaient plusieurs longues tiges de métal qui descendaient jusqu'à un mètre du sol. Ces tiges étaient toutes reliées à un deuxième cylindre plus mince. Celui-ci traversait le mur et se retrouvait au centre d'un tunnel étroit qui semblait se rendre jusqu'au fond de la poupe. Un mécanisme, inconnu du peintre, agitait toutes ses tiges et faisait en sorte que ce deuxième cylindre tournait sur lui-même à grande vitesse. Il s'agissait là d'un engin complexe et parfaitement calibré.

— Je vois que ces pièces de fer s'activent dans toutes les directions, mais je ne sais toujours pas pourquoi ni comment, dit Sandro, perplexe.

— Minos ! s'écria Lucifiore en dirigeant son regard vers l'autre bout de la pièce.

Il y avait tant d'humidité et de vapeur que Sandro ne parvenait pas à voir à plus de dix mètres devant lui. En plus, la lumière faisait cruellement défaut.

Un homme en armure émergea d'un nuage de vapeur blanche.

— Bonjour, capitaine ! salua-t-il joyeusement.

L'homme en question portait une cuirasse qui était beaucoup moins imposante que celle de ses confrères. D'étranges mécanismes en or s'agitaient à même son torse. Mais l'élément qui attira le plus l'attention de Botticelli fut le casque du marin. Une étrange bulle de verre aplatie le surmontait. Et ce casque était muni, tout comme celui de plusieurs autres pirates, d'un visage de fer sans la moindre expression. De chaque côté du crâne de l'homme, des tubes de fer reliaient le casque au gorgerin.

— Minos, voudrais-tu avoir l'obligeance d'expliquer à ce prisonnier le fonctionnement du cœur du navire ? demanda le capitaine gentiment.

L'homme inspecta Sandro Botticelli de la tête aux pieds d'un regard pour le moins étrange.

— Bien entendu, consentit-il enfin.

Sans fournir la moindre explication, il fit un mouvement rotatif continu de son bras gauche, ce qui produisit un son saccadé.

— Voilà ! émit l'homme en cessant d'agiter son bras.

Il abaissa ensuite un levier qui se trouvait à même son torse. La bulle de verre qui couronnait son casque s'illumina. Sandro recula, effrayé. Malgré sa logique, il ne pouvait s'empêcher de croire qu'il s'agissait d'une diablerie. Il était impossible de recréer la lumière du jour sans flamme. Ce qui émanait du crâne de Minos était une lumière blanche et pure, entièrement artificielle.

— Du calme, jeune homme, le rassura Minos. Ce n'est qu'un peu de chaos soumis à la puissance du tonnerre.

Par chaos, Minos désignait en fait un gaz, et la puissance du tonnerre faisait référence à l'électricité. Ce pirate, cet homme de science expérimenté, avait confectionné un tube fluorescent rudimentaire. Bien entendu, tout cela échappait complètement à Sandro. Cette science était bien trop en avance sur son temps. Grâce à la lumière qu'émettait désormais le casque de Minos, Sandro put examiner les pièces devant lui.

— Suivez-moi, dit le scientifique en s'éloignant.

Il s'arrêta devant une énorme chaudière qui s'élevait à plus de cinq mètres. Elle se trouvait exactement sous la grande cheminée. En levant les yeux vers le ciel, Sandro put apercevoir les dents noircies du Gosier de l'enfer. Deux pirates étaient occupés à alimenter la chaudière en charbon. C'était de là que provenait toute cette chaleur.

— Voilà le cœur du navire, annonça Minos en désignant la chaudière. Ce compartiment est gorgé d'eau que nous chauffons à grande température. À l'intérieur, il se produit une pression étonnante. Celle-ci est dirigée vers ce gros cylindre au plafond.

Minos pointa le cylindre de fer soutenu par les poutres, celui qui vibrait sans relâche.

— Un système permet de transformer cette pression en mouvement continu. C'est de cette manière que nous faisons tourner l'hélice.

— L'hélice ? interrogea Sandro, perplexe.

— Exact, dit le capitaine. Le *Léviathan* est un navire à vapeur !

Sandro songea que les pirates auraient mieux fait d'enlever Leonardo. Lui aurait su apprécier ce monstre à sa juste valeur. Pour sa part, Sandro n'accordait qu'un intérêt bien secondaire au fonctionnement de cet abominable navire.

15
Chaos à bord du *Mandeville*

Vito était parvenu à maîtriser l'incendie sur le navire avec l'aide de Christophe. Le *Mandeville* était dans un triste état. Heureusement, sa coque était intacte. Selon le capitaine, c'était un sacré exploit. Leonardo s'était occupé de Kimchi. Le pauvre homme avait dû être amputé. C'était la première fois que l'inventeur opérait. Dans l'ensemble, les choses s'étaient plutôt bien déroulées. Le vieux Coréen avait de bonnes chances de survivre, si la plaie ne s'infectait pas.

Après avoir jeté par-dessus bord tous les pirates morts, l'équipage s'était rassemblé une fois de plus pour une bien triste cérémonie. Seul Kimchi ne se trouvait pas sur le pont ; il dormait d'un sommeil agité dans la cabine du capitaine. Leonardo et Vito inclinèrent la planche sur laquelle se trouvait le corps d'Helmet Jones. La dépouille, enveloppée dans le hamac du médecin, glissa avant de plonger dans la mer.

— C'est ainsi que disparaît Helmet Jones, l'homme le plus désagréable que la terre ait porté, souffla Christophe en refermant sa Bible.

Le médecin avait toujours été un homme fort déplaisant. Malgré tout, il ne méritait pas la fin tragique qu'il avait connue. Le voyage n'en était qu'à ses débuts et le *Mandeville* comptait déjà deux morts. Et possiblement trois, si l'on ajoutait Sandro Botticelli à ce compte. D'après Christophe Colomb, il y avait de fortes chances que le peintre soit mort. En fait, il doutait sérieusement des propos rapportés par Vera. Sandro était probablement tombé par-dessus bord lors du combat, mais Christophe n'osait pas faire part de son hypothèse à la jeune femme.

Leonardo et Vito déposèrent la planche contre la rambarde. Maintenant que la cérémonie était terminée, l'inventeur comptait bien passer aux choses sérieuses. Il s'avança donc vers le capitaine d'un pas décidé.

— Qu'allons-nous faire à propos de Sandro? interrogea-t-il.

Christophe échangea un regard avec Juan avant de répondre. Vera s'approcha, son regard braqué sur le chef d'équipe du *Mandeville.* Celui-ci expliqua:

— Nous devons tout d'abord réparer le bateau. Nous n'arriverons à rien si le *Mandeville* reste dans cet état. Nous aurons beaucoup de travail à faire. Et comble de malheur, notre charpentier se trouve entre la vie et la mort.

— Mais vous comptez partir à la rescousse de Sandro, n'est-ce pas? s'enquit la jeune femme d'un air inquiet.

— Nous verrons en temps et lieu, répondit Christophe avec une pointe d'impatience dans la voix.

Leonardo fusilla du regard le capitaine du *Mandeville*. Pour lui, il était impensable de ne pas venir en aide à Sandro.

— Vous n'allez pas le laisser entre les mains de ces pirates ! s'écria-t-il d'une voix beaucoup plus forte qu'il ne l'aurait voulu. Il n'est pas question de l'abandonner, vous m'avez bien compris !

Vera et Vito l'observèrent avec surprise. L'inventeur n'était pas du genre à s'emporter. Leonardo se surprenait lui-même. Après tout, Sandro avait toujours été son plus grand rival.

— Monsieur da Vinci, votre ami est probablement déjà mort, lança Christophe sans tenter de dissimuler sa rage. Il faut donc évaluer sérieusement la situation avant de lancer le *Mandeville* dans une opération suicide ! Vous avez vu le *Léviathan* comme moi, vous savez donc que nous n'avons aucune chance contre un tel navire. Je préfère de loin abandonner Sandro plutôt que de voir la moitié de cet équipage mourir en tentant de le sauver. De toute façon, même si je le voulais, je ne crois pas que nous pourrions rattraper le bateau des pirates.

Le jeune Colomb manquait de sommeil, ce qui ne faisait qu'empirer son humeur. De plus, il n'avait pas l'habitude de se faire parler sur le ton que Leonardo venait d'employer avec lui. Sans jeter un regard aux autres passagers, Christophe porta son attention sur son second.

— Je te laisse les commandes, dit-il d'une voix plus calme. J'ai besoin d'une pause.

— Pas de problème, répondit Juan.

Le capitaine disparut sous le gaillard d'arrière. Le cartographe explora le pont du navire d'un air découragé. Il y avait tant à faire et il ignorait par où commencer. Il sentait le regard des passagers peser sur lui. Juan leur sourit.

— Malgré tout, commença-t-il sans trop savoir quoi dire, vous faites un agréable voyage ?

Sandro avait passé une nuit d'enfer. Il n'avait pour ainsi dire pas dormi. Après la visite guidée du *Léviathan*, Lucifiore l'avait reconduit jusqu'au gaillard d'avant où Charon l'avait pris en charge. La brute de fer s'était montrée beaucoup moins civilisée que le capitaine. Les conditions de vie à l'intérieur de la proue du navire étaient affreuses. Les neuf étages de prisons étaient infernaux. Chacun de ces niveaux n'avait pas plus d'un mètre et demi de hauteur. Les gardiens qui parcouraient les corridors devaient se courber pour se déplacer. Ces hommes étaient de la même trempe que Charon : idiots et sanguinaires. À l'aide de rames, ils frappaient les prisonniers à travers les barreaux. Très souvent, ils le faisaient sans aucune raison apparente. Sandro avait lui-même encaissé plusieurs coups depuis son arrivée. Pour rendre son séjour encore plus insupportable, la chaleur – qui était étouffante en ces lieux – exacerbait l'odeur infecte des autres détenus. Certains d'entre eux semblaient être là depuis des années ; c'était à peine s'ils se rappelaient comment parler. Les mains agrippées aux barreaux de son cachot, Sandro observait l'escalier qui se trouvait à une dizaine de mètres. Charon venait d'y faire son apparition.

— Ne mets pas les doigts hors de ta cellule ! souffla son voisin d'en face, un vieillard. Tu risques de le regretter.

Sandro lança un regard méprisant au prisonnier, puis retourna son attention sur Charon. Il devait absolument trouver un moyen de fuir le navire. Le maître des neuf cercles salua l'un des gardiens avant de s'engager dans le long corridor. Il s'arrêta à quelques pas de la cage de Sandro.

— Tu vas savoir ce que c'est une dure journée de labeur, Botticelli, déclara-t-il froidement. Tu verras comment nous traitons les sales petits fils de riches comme toi.

Sandro était certes éduqué, mais il n'avait jamais vécu dans la richesse. Toutefois, il jugea plus prudent de ne pas le faire remarquer à la brute. Charon propulsa rapidement sa rame contre les barreaux à l'endroit où se trouvaient les mains du peintre. Sandro eut tout juste le temps de les retirer. Quelques secondes de plus et toutes ses phalanges auraient été brisées.

Le pirate grogna son mécontentement.

— Tu as intérêt à bien te tenir, beugla-t-il, sinon je te marquerai au fer rouge !

Charon fit un pas et ouvrit la grille. Il sortit l'artiste de sa cellule d'un seul mouvement de bras.

— Avance ! lança-t-il en lui administrant un coup de rame dans le dos.

Sandro s'engagea silencieusement dans le corridor en tentant d'ignorer la douleur qui lui envahissait le dos. Il n'avait pas intérêt à se plaindre, car Charon lui fracasserait le crâne à la moindre occasion.

Quand Juan remonta sur le pont, il affichait une mine contrariée. Il venait de faire l'inventaire de la cale ; cette opération ne lui avait pris que quelques minutes car la cale était presque vide. Bientôt, il n'y aurait plus d'eau douce ni de nourriture à bord. Heureusement, les réparations avaient bien avancé ces derniers jours. Avec l'aide de Leonardo, Vito était parvenu à réparer le mât de misaine. C'était une réparation rudimentaire, mais elle ferait l'affaire jusqu'au remplacement du mât. Ils avaient aussi rafistolé deux voiles et changé celle du grand mât. Christophe en gardait toujours une de rechange dans l'un des coffres du pont. Le navire était donc à nouveau opérationnel, après plusieurs jours de réparations intensives. Juan grimpa sur le gaillard d'arrière et rejoignit la barre où se trouvait le capitaine. La mer était à peine agitée ce matin. Toutefois, il y avait une bonne brise qui soufflait dans les voiles. Le soleil apportait une chaleur appréciable sans qu'il fasse trop chaud pour autant. C'était une température parfaite pour naviguer en mer.

— Alors ? interrogea Christophe sans plus attendre.

— Nous n'aurons plus d'eau dans deux jours, répondit Juan, et la nourriture manquera bientôt. Il nous reste quelques barils de poudre noire ; apparemment, nos agresseurs n'en avaient nul besoin. Par chance, ils n'ont pas fouillé dans nos réserves d'or.

Dans le cas contraire, je me demande bien comment nous aurions pu refaire le plein de denrées.

Juan resta silencieux un long moment. Enfin, il reprit tranquillement :

— Christophe, nous allons devoir nous ravitailler.

— Quel endroit serait le plus approprié ?

Juan était le mieux informé sur ce genre de détail. Découragé, le cartographe haussa les épaules.

— Au port d'Agadir. Ce n'est certes pas le meilleur endroit, mais nous n'avons guère le choix.

— D'accord, concéda Christophe. Ce n'est qu'à une centaine de kilomètres. Nous y perdrons plusieurs heures à marchander de la nourriture, mais ce n'est pas si grave.

Christophe tourna la barre, faisant ainsi pivoter doucement le navire vers sa nouvelle destination.

Les corvées de nettoyage sur le navire de Christophe étaient des parties de plaisir comparativement aux travaux que Sandro devait effectuer à bord du *Léviathan*. Le peintre avait passé toute la journée à proximité des fours. La chaleur était intolérable et sa cuirasse était devenue un vrai fourneau. Avec une dizaine d'autres prisonniers, il avait enduit d'argile des œuvres en cire, nettoyé et poli des instruments. Vers le milieu de l'après-midi, il avait été chargé d'approvisionner en air l'un des deux fours pour permettre à un autre prisonnier de forger des armes.

Deux heures plus tard, il s'activait toujours à pomper de l'air dans le brasier à l'aide d'un soufflet en cuir.

Sandro jeta un coup d'œil en direction du mât de beaupré. Il aperçut trois esclaves qui sculptaient une pièce de bois. L'un d'eux regardait des parchemins d'un air troublé. Le jeune Botticelli en vint à la conclusion que les prisonniers devaient suivre des plans en vue d'une quelconque création. Les trois hommes, qui portaient eux aussi des lourdes cuirasses, étaient tous dangereusement maigres. Il était évident qu'on ne mangeait pas à sa faim à bord du *Léviathan*.

Le peintre parcourut le gaillard d'avant d'un œil attentif. Un seul pirate s'y trouvait. Il s'entretenait depuis plusieurs minutes avec un homme sur le pont et ne surveillait guère ses prisonniers. Après un moment d'hésitation, Sandro déposa son soufflet et s'approcha des trois travailleurs.

— Qu'est-ce que vous faites ? questionna-t-il.

Les trois hommes jetèrent un regard étonné au nouveau venu.

— Retourne à ton poste, chuchota l'un d'eux en poussant Botticelli. Ils vont te tuer s'ils s'aperçoivent que tu as quitté ta place.

Sandro haussa les épaules.

— Le surveillant regarde ailleurs. Je peux peut-être vous aider.

— Si tu veux nous aider, dit l'un des hommes en regardant nerveusement autour de lui, retourne à ta tâche.

— Comme vous voudrez !

Sandro tourna les talons et repartit en direction du four. Il venait à peine de reprendre le soufflet lorsqu'une rame s'abattit violemment contre son dos. Sandro s'effondra sur le sol, le souffle coupé.

— Monsieur Botticelli faisait la conversation ! s'écria Charon qui avait surgi de nulle part. Vous ne survivrez pas très longtemps en vous comportant de cette manière.

La brute de fer agrippa le peintre par le gorgerin et le tira vers le pont.

— J'ai bien envie de vous jeter par-dessus bord, vociféra-t-il en entrant sous le gaillard d'avant avec son prisonnier. Mais j'ai une bien meilleure idée.

Charon traversa les neuf cercles de l'enfer en tirant Sandro derrière lui. Les tortures qui étaient infligées aux prisonniers devenaient de plus en plus inhumaines à chaque cercle. Le peintre se demandait pour quelle raison ces pirates se montraient aussi sadiques. De plus, les actes les plus inhumains étaient bien souvent perpétrés sans aucune raison. Sandro et son bourreau descendirent l'escalier menant au neuvième cercle. Botticelli se retrouva dans une pièce beaucoup plus étroite que les cellules des autres étages. À quelques mètres devant lui se trouvait une large porte en fer. Elle était cadenassée à trois endroits et une grande barre de fer la maintenait fermée.

— Désormais, tu vas partager ton cachot avec le pire prisonnier du *Léviathan*, dit Charon d'une voix amusée. Ce cinglé a tué une dizaine des nôtres lors de l'abordage de son navire. Durant son emprisonnement à bord, il en a tué quatre de plus et il a aussi éliminé plusieurs prisonniers. Il était si imprévisible que j'ai décidé de l'enfermer dans le neuvième cercle. Il est ici depuis plusieurs mois et je ne l'ai jamais nourri. Cet homme est un sorcier ou un démon.

— C'est n'importe quoi ! lança Sandro en laissant échapper un rire.

Charon propulsa le peintre contre le mur pour le punir d'avoir osé douter de ses paroles. Il se dirigea ensuite vers la porte et la déverrouilla. Sans plus attendre, il jeta le jeune insolent dans le cachot avant de refermer la porte bruyamment. L'obscurité était presque totale dans la pièce ; la seule lumière émanait d'un petit grillage au plafond. L'étage au-dessus était éclairé par de nombreuses lampes à huile suspendues.

— Sandro Botticelli ! s'exclama une voix dans l'ombre. Voilà qui est particulièrement intéressant...

Sandro n'apercevait dans l'obscurité qu'une paire d'yeux scintillants. Il fit quelques pas et vit enfin son nouveau copain de cellule. Celui-ci était enchaîné au mur par de larges bracelets solidement attachés à ses poignets. Les chaînes lui offraient une certaine liberté, mais il ne pouvait toutefois pas s'approcher de la porte. Assis en indien et le dos appuyé contre le mur, le prisonnier le fixait de ses yeux malintentionnés.

— Warress Ferrazini ! s'écria Sandro. Le tueur de prêtres...

Le visage défiguré de l'alchimiste afficha un sourire particulièrement déplaisant. L'homme était dans un état lamentable. Ses cheveux – il n'en avait que sur un côté de la tête – étaient sales et aplatis contre son crâne. Apparemment, il avait été battu à plusieurs reprises, car son visage était marqué de plusieurs blessures, plus ou moins fraîches. Même le côté indemne de son visage était boursouflé et meurtri. Ses vêtements étaient couverts de saleté et de suie. L'alchimiste ne paraissait vraiment pas au sommet de sa forme.

Souriant, Warress rétorqua :

— Je suis beaucoup plus qu'un simple tueur de prêtres.

À l'évidence, le chef de la confrérie de la Table d'émeraude n'avait rien perdu de sa méchanceté.

16
La divine comédie

Sandro s'adossa contre le mur opposé à celui où se trouvait l'alchimiste. Le peintre préférait se tenir le plus loin possible de l'homme. Il avait l'impression que celui-ci n'aurait qu'à faire un seul mouvement pour le tuer. Ce n'était probablement pas le cas, mais Sandro ne parvenait pas à s'enlever cette idée de la tête. Les traits de Warress dégageaient une menace incontestable.

— Est-ce que Leonardo da Vinci est à bord lui aussi ? interrogea l'homme au visage défiguré.

Connaissant la situation qui existait entre l'inventeur et ce monstre, Sandro décida donc de fournir de fausses informations.

— Da Vinci est mort, mentit-il sur un ton froid. Il a été accusé de complicité pour les incendies survenus à Florence.

Sandro savait que l'alchimiste avait quitté Florence immédiatement après les événements. Il ne connaissait donc sûrement pas les répercussions de ses actes contre l'Église. Le regard de Warress resta fixé à son interlocuteur. Doutait-il des propos qu'il venait d'entendre ?

— Il a brûlé sur le bûcher avec Alberto de Corleone. Bien sûr, Laurent de Médicis et plusieurs autres se sont offusqués contre ce jugement déloyal, mais que voulez-vous faire contre l'Église ? Elle est toute-puissante.

— Plus pour très longtemps, dit Warress en souriant.

Sandro dévisagea l'ancien professeur de l'atelier. Il ne l'avait jamais aimé. C'était l'une des raisons pour lesquelles il n'avait pas suivi son cours. Sans compter qu'à son avis l'alchimie était un domaine parfaitement inutile.

— J'imagine que vous comptez détruire l'Église de votre cellule ? se moqua-t-il.

— Mon évasion n'est qu'une question de temps.

— Je n'en doute pas un seul instant, répondit Sandro avec une pointe de sarcasme.

— J'aurai peut-être besoin de votre aide, mon cher Botticelli. À nous deux, nous pourrions facilement déjouer ces pirates et fuir ce navire de mort.

Sandro comptait bien échapper aux griffes de ses kidnappeurs. Cependant, il lui était impensable de s'unir à Warress pour s'évader. Il n'avait aucune confiance en l'alchimiste. Ce fugitif n'était qu'un sociopathe dangereux qui méritait le bûcher.

— J'ai une bien meilleure idée, dit-il. Lorsque je serai de retour à Florence, j'irai informer Laurent de

Médicis de votre présence à bord. Il dépêchera sûrement une armée entière pour venir vous chercher.

Warress éclata d'un rire caverneux.

— Vous faites le brave, mais vous devriez savoir que j'ai une énorme influence en Italie. Je peux briser votre famille. D'un seul claquement de doigts, il m'est possible de faire brûler le commerce de votre père. Votre vie et celle de bien d'autres, comme celle de la jeune Vera, sont entre mes mains.

Visiblement, Warress s'était informé sur la vie du peintre à l'époque où il enseignait à Florence.

— Dans ce cas, les choses sont bien différentes, répliqua Sandro d'un air songeur.

Un sourire triomphant se dessina sur les lèvres de l'alchimiste.

— Avant de fuir ce navire, je devrai m'assurer de vous faire disparaître, reprit Botticelli.

Si le *Mandeville* était redevenu opérationnel, il avait tout de même gardé des séquelles de son combat contre le *Léviathan*. Il avait perdu *Thalie*, l'une de ses barques. Les rambardes éclatées n'avaient pas été remplacées, puisqu'on manquait de bois pour effectuer ces réparations. Les tirs de canons que le voilier avait encaissés avaient sérieusement abîmé l'ensemble du pont. L'allure du *Mandeville* n'imposait guère le respect.

Maintenant que les travaux étaient terminés, les trois passagers comptaient bien avoir une petite discussion avec le capitaine. Ce dernier avait tout fait pour les éviter jusqu'ici, mais cette fois il ne pourrait pas se défiler. Après le changement de quart, Leonardo et ses deux amis montèrent sur le gaillard d'arrière. Ils y trouvèrent Christophe à la barre.

— Le temps est venu de parler de Sandro, déclara Vera d'une voix de glace.

Son attirance pour le capitaine s'était évanouie depuis la disparition de Sandro. La façon de réagir de Christophe lui avait fait découvrir une facette de sa personnalité qu'elle n'aimait pas du tout. Vera ne pouvait le jurer, mais la jalousie qu'éprouvait Christophe envers Sandro était peut-être la raison qui le poussait à ne pas vouloir lui venir en aide.

Le navigateur tourna un œil fatigué vers le trio.

— Qu'est-ce que nous pourrions bien en dire ? répondit Christophe qui tourna ensuite son regard vers l'horizon.

Le ciel s'était légèrement couvert depuis quelques heures. La nuit risquait d'être mouvementée.

— Juan m'a informé que vous envisagiez de faire une escale de deux jours à Agadir, dit Leonardo. À mon avis, cet arrêt serait une terrible erreur. Dans quelques jours, le *Léviathan* sera loin d'ici !

Christophe dévisagea l'inventeur avec mépris.

— Il doit déjà être loin ! beugla-t-il avec impatience. À la vitesse à laquelle il se déplaçait, il se trouve sûrement à des centaines de kilomètres maintenant. De toute façon, nous avons un besoin urgent d'eau douce. Pour l'instant, il s'agit de ma priorité !

— Si je résous ce problème, vous lancerez-vous à la poursuite du *Léviathan* ? interrogea Leonardo.

Le capitaine laissa échapper un rire.

— Certainement pas. Vous ne semblez pas comprendre le problème. Il m'est impossible de localiser le *Léviathan*. Et même si c'était le cas, le *Mandeville* ne fait pas le poids contre cette gigantesque caraque !

— Et si je vous permettais de le localiser ? insista Leonardo. Je pourrais même vous proposer une stratégie d'attaque efficace.

— Christophe, tu dois lui faire confiance, intervint Vito. Leonardo est vraiment le garçon le plus brillant que je connaisse.

Christophe soupira bruyamment. « J'ai hérité des passagers les plus désagréables de tout l'Atlantique », songea-t-il.

— Agadir se trouve à une vingtaine d'heures d'ici, dit le capitaine. Je vous donne cette période de temps pour me présenter quelque chose de concret, sinon nous ferons notre escale comme prévu. Avez-vous bien compris ?

— Oui, capitaine ! s'écria Leonardo en s'éloignant déjà.

Une fois de plus, l'inventeur allait devoir faire ses preuves. Il comptait tout d'abord se pencher sur la question de l'eau douce ; il avait déjà quelques idées à ce sujet. Leonardo se tourna vers le pont.

— J'aurais besoin de votre aide ! lança-t-il à ses deux amis.

Vito et Vera le rejoignirent au pas de course. Christophe suivit des yeux les trois acolytes jusqu'à ce qu'ils disparaissent par l'écoutille du pont. Le capitaine était convaincu que le jeune da Vinci n'arriverait à rien. De ce fait, il ne s'inquiétait pas trop à l'idée de combattre une autre fois le *Léviathan*.

La porte du cachot s'ouvrit. Sandro s'attendait à voir Charon en surgir, mais ce ne fut pas le cas. Lucifiore apparut sur le seuil en compagnie de Minos. Le scientifique fit quelques pas en direction de Warress et braqua une mystérieuse arme sur lui. Il semblait s'agir d'une sorte de pistolet fixé à même le poignet de son gantelet droit.

— Sandro, dit le capitaine en se retournant vers le peintre, ce cher Minos m'a informé d'une injustice à ton égard.

— Ah bon ? interrogea Sandro, surpris.

Il se demandait quelle place pouvait avoir la justice sur un navire pirate.

— Il semblerait que tu aies tenté de venir en aide à trois travailleurs, déclara Lucifiore de sa voix métallique. Tu as été puni à tort pour avoir voulu faire profiter ce navire de tes grands talents. Cette erreur de la part de Charon ne restera pas impunie, sois-en sûr. Viens avec moi, mon cher.

Sandro jeta un coup d'œil hostile à l'alchimiste puis quitta la pièce en compagnie du capitaine.

Minos n'avait toujours pas baissé son arme. Il prit la parole :

— Je vous avertis, Ferrazini : touchez un seul cheveu de ce garçon et vous irez dormir avec les poissons.

— Approchez-vous donc un peu, proposa l'alchimiste en souriant. J'ai de la difficulté à vous entendre.

Un jet de lumière vive jaillit de l'arme du scientifique. Le mur, à quelques centimètres à peine de la tête du prisonnier, s'enflamma spontanément. L'abrasion fut de courte durée, mais elle laissa un grand cercle carbonisé sur le bois. Warress parvint à dissimuler sa surprise ; l'arme de son opposant était beaucoup plus efficace qu'il ne l'aurait cru. Minos fit un mouvement rotatif avec son bras gauche. Les engrenages sur son torse se mirent en mouvement. L'étrange homme en armure futuriste dirigea un index menaçant vers le prisonnier.

— La prochaine fois, je ne vous manquerai pas, menaça-t-il en quittant la pièce.

Une fois de plus, Warress se retrouva dans l'obscurité.

— Si je ne t'ai pas tué avant, murmura-t-il pour lui-même.

— Portez-vous toujours votre masque ? demanda Sandro au capitaine.

Ils étaient de retour sur le gaillard d'avant. La nuit était tombée depuis quelques heures. Malgré la mer agitée, le *Léviathan* conservait une stabilité étonnante.

— Nous portons tous des masques, comme ce Warress enchaîné au neuvième cercle.

— Il a laissé tomber le sien, lui, dit Sandro en suivant le capitaine vers l'avant du navire.

— J'en déduis que tu le connaissais déjà ? interrogea Lucifiore en tournant un regard vers Botticelli.

— C'était un professeur à l'atelier.

— Pourquoi cela ne m'étonne-t-il pas ? Andrea Verrocchio est un homme qui fait beaucoup trop confiance aux gens. À l'époque, c'était son plus grand défaut. Il se mettait toujours dans les pires pétrins, et ce bon Lucifiore courait à son aide. Il y a bien longtemps, nous avons fréquenté les mêmes classes que Warress. Contrairement à Verrocchio, je ne lui ai jamais fait confiance.

— Pourquoi ?

— Il y avait quelque chose dans ses yeux, répondit le marin, pensif. Certains humains naissent pour faire le mal. Warress est l'un d'eux.

Sandro se demanda si Lucifiore était conscient qu'il figurait parmi les personnes nées pour faire le mal. Après tout, à cause de lui, des centaines de prisonniers étaient torturés. En plus, le *Léviathan* abordait tous les bateaux qu'il croisait ; les pirates tuaient de nombreuses personnes. Sandro estima toutefois qu'il était plus prudent de ne faire aucune remarque à ce sujet. Le capitaine semblait bien l'apprécier, il valait donc mieux adopter un profil bas. Ils s'arrêtèrent devant la grande pièce de bois sur laquelle les trois travailleurs avaient œuvré plus tôt. Le large morceau de bois avait adopté la forme d'une silhouette de femme, mais les traits étaient grossiers. « Du travail d'amateur », songea Sandro.

— Vous devriez tuer Warress Ferrazini, déclara Sandro en tournant son regard vers le capitaine.

— Il mérite de souffrir. Le tuer serait un cadeau.

Décidément, Sandro était bien entouré. Il partageait le navire avec un capitaine sadique, un bourreau à la rame d'or, un terroriste défiguré et un scientifique fou. Toutefois, pour le moment, le peintre n'avait rien à reprocher à Minos, dont la présence à bord représentait un mystère.

— Je vais te charger d'un nouveau travail, mon cher Botticelli, annonça Lucifiore en pointant son index vers la pièce de bois. Tu vas confectionner notre nouvelle figure de proue.

— Cette sculpture de bois qu'on retrouve parfois sous le mât de beaupré ?

— Exactement ! lança le chef d'équipage d'un ton enjoué. Tu auras trois jours pour l'exécuter.

Sandro n'osa pas demander ce qu'il adviendrait s'il n'arrivait pas à terminer l'œuvre à temps. Il n'avait jamais pratiqué la sculpture sur bois auparavant.

— Tu devras réaliser une œuvre de la douce Béatrice, annonça Lucifiore solennellement, la très belle et honnête fille de l'empereur de l'univers !

— D'accord, répondit Botticelli, mais qui est-ce ?

Le capitaine sursauta. Sous son masque de fer, ses yeux exprimaient la plus grande surprise.

— Ne connais-tu pas *La divine comédie* de Dante Alighieri ? interrogea-t-il, offusqué.

— J'en ai vaguement entendu parler, dit Sandro en haussant les épaules. Mais je ne suis pas un grand passionné de littérature.

Une fois de plus, le jeune peintre se dit que ces pirates n'avaient décidément pas kidnappé le bon passager. Lucifiore se serait probablement entendu à merveille avec Leonardo.

— Dans ce cas, reprit le capitaine, il te faudra d'abord acquérir un peu de connaissances générales. Je suis étonné qu'Andrea Verrocchio n'ait pas fait de *La divine comédie* une lecture obligatoire ! Suis-moi.

Minos venait à peine de sortir de sous le gaillard d'arrière lorsque Charon l'interpella.

— Depuis quand te mêles-tu des affaires des autres ? beugla la brute du haut du gaillard d'avant.

Minos leva les yeux vers le responsable des neuf cercles.

— Tu n'es qu'un pauvre bougre, déclara le technicien. Ne m'embête pas avec tes questions idiotes. Je n'ai guère le temps d'écouter toutes les âneries qui jaillissent de ta bouche.

Charon frappa violemment le sol de sa rame puis s'engagea dans l'escalier menant au pont.

— Qu'est-ce que tu viens de dire ? éclata-t-il en s'arrêtant à quelques centimètres de son interlocuteur.

Minos paraissait minuscule à côté du géant de fer.

— Une minute ! jeta Minos en levant son index.

Le scientifique posa ensuite sa main sur une petite manivelle en or, disposée sur son épaulette droite. Celle-ci avait la forme d'une trompette à son extrémité. Minos tourna le mécanisme rapidement dans le sens opposé à celui des aiguilles d'une montre. Une voix vibrante émergea aussitôt de l'étrange instrument : « Tu n'es qu'un pauvre bougre. Ne m'embête pas avec tes questions idiotes. Je n'ai guère le temps d'écouter toutes les âneries qui jaillissent de ta bouche. » Les paroles avaient été répétées avec la même intonation. Charon en resta sans mot. Cette technologie dépassait de loin la compréhension du gardien.

— Maintenant, reprit Minos tranquillement, sache que tes intimidations ne m'impressionnent pas. Si j'ai envie de me mêler de tes affaires, je le fais et tu n'as aucunement le pouvoir de m'en empêcher.

Le scientifique tourna les talons et se dirigea vers l'écoutille. Avant d'y disparaître, il jeta un dernier regard vers Charon. La brute était restée figée près de l'escalier.

— Je t'avertis, Charon, lança-t-il d'une voix menaçante, si un jour il survient un malheur à ce Botticelli, il est fort possible qu'il t'arrive un petit accident peu de temps après.

17
L'opération rescousse

Sandro traversa la pièce où étaient entreposées les armures. L'endroit était toujours aussi lugubre. Le capitaine le devançait d'un pas rapide. Celui-ci s'arrêta face à une série d'étagères qui occupait une partie du mur du fond, puis il tira sur un lourd livre. Sandro songea durant un bref instant qu'il devait s'agir de la fameuse *Divine comédie*, mais il se trompait : c'était un levier. L'étagère en entier s'enfonça dans le plancher, ouvrant un passage vers la cabine du capitaine. L'homme en armure se tourna vers Botticelli.

— Je t'invite dans ma cabine, déclara-t-il. Tu y seras plus confortable.

— C'est gentil, dit le prisonnier en suivant le chef d'équipage à l'intérieur.

L'étagère se remit en place automatiquement après leur entrée. Le peintre se demandait d'ailleurs comment cela était possible. Ce mécanisme avait sûrement été créé par Minos. La cabine du capitaine était particulièrement spacieuse. Le fond de la pièce était entièrement vitré ; il offrait une splendide vue nocturne sur la mer agitée. La pièce baignait dans le doux éclairage des nombreuses lampes à huile suspendues. Tout le mur de droite était occupé par une bibliothèque regorgeant de milliers d'œuvres littéraires. Le plafond était légèrement arrondi, et les moulures en or qui l'encerclaient avaient été finement sculptées. Tous les murs étaient peints en blanc, ce qui donnait à la pièce une ambiance invitante – tout le contraire du reste du navire. Il y avait d'imposantes peintures accrochées aux murs. Ces œuvres représentaient des créatures de la mythologie grecque. Botticelli reconnut entre autres une toile mettant en vedette les Érinyes, les trois déesses infernales aux cheveux de serpent. Lucifiore fit quelques pas avant de s'arrêter devant sa collection de livres. Il en extirpa un ouvrage au format impressionnant.

— Voilà, mon cher Botticelli, dit le capitaine en tendant l'objet à son compagnon. Cette lecture devrait te tenir occupé pendant un bon moment.

Sandro s'empara de *La divine comédie*. Lucifiore avait raison : lire ce livre lui prendrait une éternité.

— Tu peux t'installer ici si ça te chante, offrit l'homme en désignant le meuble de bois face à la baie vitrée.

— D'accord, accepta simplement le peintre.

— Je te laisse toute la journée pour lire cet ouvrage, annonça Lucifiore de sa voix métallique. Après, tu devras sculpter notre Béatrice. Bonne lecture !

Le capitaine fit quelques pas vers la sortie. La porte dissimulée s'ouvrit comme par magie à son approche. Quelques secondes plus tard, Sandro se retrouva seul dans la grande pièce. Il déposa doucement le livre sur le bureau. Avant de s'adonner à la lecture, il comptait inspecter les lieux minutieusement. Il espérait trouver un objet qui pourrait lui être d'une quelconque utilité en vue de sa future évasion.

Sandro découvrit rapidement que les toiles étaient l'œuvre de Lucifiore, car elles étaient toutes signées de sa main. Le peintre inspecta rapidement la bibliothèque du capitaine. C'était une mine d'or qui aurait probablement captivé Leonardo ; par contre, Sandro ne s'y intéressait guère. Malheureusement pour lui, la bibliothèque contenait uniquement des livres. Sandro aurait aimé trouver quelque chose capable de crocheter la serrure de sa cellule. Il retourna en direction du bureau. Il en ouvrit chacun des tiroirs sans rien trouver de bien utile. De toute façon, Charon allait probablement le jeter dans la même cellule que Warress. Ses talents de crocheteur ne lui seraient d'aucune utilité dans le neuvième cercle, puisque les cadenas qui fermaient la porte se trouvaient hors d'atteinte.

Sandro dirigea ensuite ses recherches vers une commode à proximité du lit. Avant d'ouvrir le premier tiroir, il jeta un œil inquiet vers la porte dissimulée. Personne ne venait. Le meuble ne contenait que des vêtements, quelques vieux pinceaux, du vernis et des bâtons de fusain. Ses recherches s'étant révélées infructueuses, Sandro revint vers le bureau. Il s'écrasa sur la luxueuse chaise qui lui faisait face et laissa échapper un long soupir. C'était le premier moment de tranquillité dont il bénéficiait depuis son arrivée à bord du *Léviathan*. Ses pensées allèrent vers Vera ; la jeune femme lui manquait cruellement. Il espérait qu'elle se portait bien. Si un jour il avait la chance de la revoir, il comptait tout faire pour gagner son cœur.

Sandro reporta son attention sur l'ouvrage qui reposait sur le bureau. Même s'il n'avait nullement le cœur à la lecture, le peintre ouvrit *La divine comédie*.

Juan fit son entrée sous le gaillard d'arrière après son quart de travail. Le jour se levait tranquillement et le second à bord du *Mandeville* était exténué. Christophe, qui prenait place à la table, consultait des cartes d'un air absorbé. Vito avait pris la barre pour le moment, tandis que Kimchi avait repris son poste au nid-de-pie. Ce moment de répit allait permettre aux deux partenaires de discuter de points importants. Avant de refermer la porte derrière lui, le cartographe s'assura que personne n'épiait aux alentours.

— Leonardo n'abandonne pas, annonça-t-il d'un ton neutre. Il travaille sans relâche.

— Nous arriverons dans quelques heures à Agadir, dit le capitaine sans quitter les cartes des yeux. Je ne sais pas ce qu'il trafique sur le pont, mais il n'arrivera à rien de toute façon. Le *Léviathan* doit être loin maintenant ; nous ne le retrouverons jamais.

Juan retira la tuque rouge qui ne le quittait habituellement jamais et alla s'asseoir en face de son ami.

— Mais s'il réussissait ? interrogea-t-il, l'air sérieux. Si Leonardo règle le problème de l'eau douce et trouve la position du *Léviathan*, vas-tu lancer notre navire dans une opération suicide ?

— Bien sûr que non ! s'exclama Christophe avec un rire forcé. Nous savons tous deux que Sandro Botticelli est mort. Il ne peut en être autrement. Pourquoi ces pirates l'auraient-ils enlevé ?

— Alors espérons que Leonardo échoue. Sinon tu peux t'attendre à une tempête à bord.

Christophe n'écoutait déjà plus son ami : ses cartes monopolisaient à nouveau toute son attention.

— Je vais me coucher, dit le cartographe en se levant.

— Hum ! souffla Christophe sans accorder davantage d'attention à Juan.

Découragé, ce dernier songea que le capitaine avait un très mauvais caractère dans les situations difficiles.

Vera monta sur le pont après une nuit pour le moins mouvementée. Elle n'était pas parvenue à trouver le sommeil. La jeune femme n'avait cessé de penser à Sandro. Elle espérait de tout cœur qu'il était toujours en vie, mais le doute la rongeait.

— Bonjour ! lança Leonardo de la barque de secours.

L'embarcation se trouvait sur le pont, fixée sur son support de bois, juste sous le grand mât. L'inventeur y avait cloué une structure en bois de forme vaguement pyramidale, constituée de trois solides poutres. Elle soutenait un large baril métallique à environ un mètre au-dessus de l'embarcation de secours. Au-dessus de ce baril se trouvait une hélice en fer, accrochée par une solide armature également en fer. Cette hélice s'activait à l'aide d'une grande manivelle que Leonardo avait disposée sous le baril, grâce à un dispositif complexe d'engrenages. De plus, il avait installé une série de crochets tout le long de la barque. Vera connaissait bien Leonardo ; il n'avait pas l'habitude de travailler aussi rapidement. Habituellement, il mettait des semaines à achever ses plans. Le jeune inventeur travaillait sans relâche à une vitesse inouïe dans le but de sauver Sandro Botticelli. Personne ne pourrait dire qu'il avait ménagé ses efforts.

— Bonjour, répondit-elle en s'approchant.

Leonardo fit tourner la grande manivelle pour tester son mécanisme. Tout semblait en ordre, car l'hélice tournait au-dessus du baril comme prévu. Vera se demandait bien ce que son compagnon préparait. Par expérience, elle savait que cette invention était peut-être vouée à un échec. Leonardo avait déjà encaissé plusieurs défaites par le passé, car certaines de ses inventions n'avaient jamais fonctionné. Toutefois, il avait aussi eu de belles réussites.

— Crois-moi, dit Leonardo d'une voix confiante, nous retrouverons Sandro avec cette machine !

La jeune femme explora la barque du regard. Pour l'instant, elle ne voyait pas comment celle-ci pourrait permettre de retrouver le peintre qu'elle aimait tant. Leonardo sauta de l'embarcation et atterrit à côté de Vera. Malgré le voyage en mer, le modèle soignait toujours autant son apparence. Leonardo ne l'avait jamais vue afficher une apparence négligée. « Si, un jour, elle escalade la plus haute montagne du monde, elle parviendra au sommet magnifiquement coiffée et sentira la rose », songea le jeune inventeur, amusé.

— Aujourd'hui, nous allons faire de la couture! annonça-t-il. Il nous faudra créer ceci.

Il sortit de la poche de sa chemise un parchemin qu'il remit aussitôt à Vera. Celle-ci le déplia et l'étudia avec attention. Le dessin représentait un ballon, dont la base était percée d'un orifice légèrement cylindrique.

— Qu'est-ce que c'est, au juste? questionna-t-elle.

— Une embarcation volante! s'exclama Leonardo. Pour confectionner ce ballon, nous allons utiliser la voile déchirée ainsi qu'une vieille toile brune que j'ai trouvée dans un coffre. Lorsque le ballon sera terminé, nous le hisserons au-dessus de la barque et l'attacherons au grand mât. Finalement, nous relierons fermement le ballon à la barque à l'aide de cordages.

Leonardo fit quelques pas et désigna le baril de fer coiffé de l'étrange hélice.

— Nous mettrons le feu dans ce baril, que j'aurai rempli du combustible alchimique que j'ai trouvé dans les affaires de Ferrazini.

En effet, après avoir fait l'inventaire des bagages trouvé à bord de l'*Émeraude*, Leonardo avait découvert une poudre noire extrêmement inflammable. Selon les notes de Warress, cette poudre de sa conception était un combustible très puissant et durable.

— En tournant la manivelle, l'hélice au-dessus du brasier poussera l'air chaud à l'intérieur du ballon, qui deviendra si léger qu'il tirera la barque hors du *Mandeville*!

Vera ne voulait pas décourager son ami, mais elle doutait sérieusement de la faisabilité de ce projet. À son avis, Leonardo était une fois de plus trop enthousiaste. Elle comptait tout de même l'aider à concrétiser son plan.

— Si la barque s'envole à une hauteur respectable, nous pourrons sans nul doute apercevoir le *Léviathan*.

— Espérons-le, dit Vito en dévalant l'escalier qui menait vers le pont.

L'ancien maraudeur avait redonné sa place à la barre à Christophe. En allant prendre son poste, le capitaine n'avait pas prêté la moindre attention aux travaux de Leonardo. Et il ne voulait surtout pas en entendre parler.

— Au travail, les amis ! s'exclama Vito en affichant son sourire jovial.

Sandro avait entamé la moitié de l'ouvrage de Dante. La nuit était déjà bien avancée, mais le peintre ne parvenait pas à détacher ses yeux du bouquin. Après une dizaine de pages, il en était venu à une surprenante conclusion : ce livre s'avérait pour lui une véritable révélation. Cette lecture inspirante faisait jaillir en lui des centaines d'images. Il comprenait maintenant pourquoi Lucifiore accordait autant d'importance à *La divine comédie*. Ce chef-d'œuvre de la littérature italienne était divisé en trois grandes parties : l'Enfer, le Purgatoire et le Paradis. C'était une œuvre poétique qui s'inspirait largement de la mythologie grecque. Dans la première partie, le personnage du récit, Dante lui-même, se voit obligé de traverser les neuf cercles de l'enfer. C'est donc de là que venait le nom des prisons à bord du *Léviathan*.

Lorsque Dante parvenait au seuil de l'enfer, il faisait la connaissance d'un dénommé Charon. À bord d'une barque, ce dernier conduisait les malheureux damnés vers leur jugement. Ce vieillard à l'aspect sévère était armé d'une large rame. Tout, à bord du *Léviathan,* était inspiré de cet ouvrage fabuleux. Sandro lisait avec beaucoup d'intérêt les passages faisant référence à Béatrice. Après tout, il allait devoir la modeler prochainement dans une pièce de bois. Il s'agissait bien sûr de la bien-aimée de Dante. L'amour entre Dante et Béatrice était si fort qu'il perdurait même au-delà de la mort. Sandro avait été étonné en comprenant que Béatrice était déjà morte au début de l'histoire. Malgré tout, elle envoyait son aide à son amoureux du haut du Paradis.

Botticelli avait presque entièrement parcouru le Purgatoire. Ces yeux étaient fatigués, mais son esprit restait vif. Après un long bâillement et quelques étirements, le peintre reprit sa lecture.

Leonardo barra la route au capitaine avant que celui-ci puisse disparaître sous le gaillard d'arrière. L'après-midi touchait à sa fin et Christophe venait tout juste de terminer son quart.

— Bonjour, capitaine !

— Je suis fatigué, répondit Christophe en tentant de se faufiler entre Leonardo et la porte.

Leonardo fut plus rapide et lui bloqua l'accès. Le jeune Colomb tentait par tous les moyens d'éviter l'inventeur depuis leur dernière discussion.

— Venez voir mon travail. Ça ne prendra qu'un instant ! assura l'étudiant de l'atelier Verrocchio.

— D'accord, concéda le capitaine d'un air maussade.

Christophe se vit donc contraint de suivre l'adolescent jusqu'à l'avant du bateau. Ils passèrent à côté de Vito et de Vera qui s'appliquaient à coudre avec beaucoup d'application les toiles. Le capitaine ne leur prêta aucune attention. Lui et Leonardo arrivèrent ensemble à l'extrémité du *Mandeville*. L'inventeur avait disposé une série de tonneaux de bois qu'il avait peints en noir. Il s'agissait des barils vides que les pirates n'avaient pas cru bon d'emporter. Des tubes en bois reliaient tous les barils. Certains de ces tubes étaient reliés entre eux et descendaient vers de plus petits barils. C'était un enchevêtrement compliqué de pièces. Selon Christophe, il s'agissait simplement d'une perte d'espace. Il dévisagea donc Leonardo de son regard le plus méprisant.

— Qu'est-ce que c'est que ce fouillis ? interrogea-t-il avec une pointe d'impatience.

— Un imposant distillateur d'eau de mer ! expliqua l'inventeur en s'approchant de l'engin à la réalisation grossière.

Il avait passé une bonne partie de la nuit à travailler sur ce distillateur. Il n'avait guère songé au côté esthétique. Après tout, l'important était qu'il fonctionne. Leonardo se pencha vers l'un des plus petits barils où de nombreux tubes aboutissaient. Il tourna un petit robinet disposé à sa base et plaça un récipient en poterie sous le bec verseur du baril. Une eau claire et limpide s'en échappa aussitôt.

— Voilà ! s'exclama Leonardo en offrant le contenant à Christophe.

— Alors, ça transforme l'eau salée en eau douce ? commenta le capitaine avant de porter le verre à sa bouche.

— Exactement, confirma fièrement l'inventeur.

Christophe avala une bonne rasade d'eau. Celle-ci ne goûtait pratiquement rien.

— Si le soleil éclaire bien les barils noirs et que la température est chaude, cette machine pourrait fournir jusqu'à quinze litres d'eau par jour.

Christophe déposa son verre sur l'un des barils. Il ne pouvait nier que Leonardo avait résolu le problème d'eau potable. Mais par chance, le *Mandeville* arriverait au port d'Agadir en fin de soirée. Il n'avait donc pas à s'inquiéter, car son passager ne parviendrait pas à découvrir la position du *Léviathan* d'ici là.

— Félicitations, dit le capitaine sans trop d'émotion. Vous êtes fort astucieux. Par contre, cela ne règle en rien le problème principal. Nous ignorons toujours où se trouve le *Léviathan*.

— J'y travaille, capitaine, répliqua Leonardo en retournant près de la barque qu'il avait modifiée.

Christophe regarda ses passagers. « Ils ont créé un désordre monstre », songea-t-il sombrement. Il retourna à sa cabine en marmonnant d'incompréhensibles propos. Du haut du nid-de-pie, Kimchi paraissait fort amusé de la situation. L'infatigable Coréen montait vaillamment la garde tout en se sculptant une jambe de bois.

18
La barque volante

Sandro s'était assoupi, la tête contre le bureau. Il sursauta en entendant la porte glisser sous le plancher. Le maître à bord fit irruption dans la cabine et exécuta quelques pas dans sa direction, dans une cacophonie métallique assourdissante.

— As-tu terminé *La divine comédie*? questionna le capitaine d'une voix sévère.

— Oui, je viens tout juste de finir, répondit Botticelli en se frottant les yeux.

— Qu'en penses-tu ?

— C'est une œuvre majeure, probablement le travail d'une vie. L'auteur vouait une admiration sans bornes à Béatrice. C'était sa muse et je crois qu'elle l'a grandement inspiré dans l'écriture de son œuvre.

— Tu sais donc que cette jeune femme a bel et bien existé, répondit Lucifiore avec une pointe de satisfaction.

— Oui, répondit Sandro. Verrocchio nous en a déjà vaguement parlé.

— Il s'est montré bien maladroit, une fois de plus, déclara de sa voix métallique le capitaine. *La divine comédie* est une œuvre capitale qui mérite une longue réflexion.

— Peut-être, accorda Sandro avant de bâiller bruyamment.

— Maintenant, mon cher Botticelli, tu vas terminer la figure de proue du *Léviathan* !

— Maintenant ? s'étonna le peintre.

Il n'avait qu'une seule envie : sombrer dans un sommeil profond.

— Tu n'es pas ici pour le plaisir, mon jeune ami ! plaisanta Lucifiore. Tu dormiras lorsque tu seras mort !

Il agrippa Sandro par sa cuirasse et le tira hors de la cabine.

— C'est dans des états de fatigue avancée que j'ai créé mes plus belles œuvres, confia l'homme en armure en traversant le pont.

Sandro doutait que l'épuisement ait le même effet sur lui, mais il s'abstint de le faire remarquer au capitaine du *Léviathan*. Quelques minutes plus tard, le peintre se retrouva seul devant l'imposante pièce de bois. Il avait à sa disposition une dizaine de ciseaux à bois de tailles différentes et une petite hache. Comme toujours, la chaleur était insupportable sur le gaillard d'avant. À quelques mètres à peine, des prisonniers coulaient du bronze dans des moules d'argile. Charon faisait sa ronde habituelle sur le pont. Il abattait avec joie sa rame d'or à la moindre occasion. Sandro se pencha vers les ciseaux et en glissa un sous sa cuirasse de fer à l'insu de son surveillant. Il observa ensuite la pièce de bois d'un air légèrement accablé.

— Au travail ! s'exclama-t-il en essayant de se motiver.

Il n'avait qu'à reproduire fidèlement l'image qu'il s'était faite de Béatrice. La muse de Dante ne pouvait avoir qu'un seul visage aux yeux de Sandro. Béatrice arborerait les traits parfaits de Vera de Marsala : l'image de la beauté absolue selon le peintre.

Christophe venait à peine de s'assoupir lorsqu'on frappa à la porte de sa cabine. « Vraiment, ce voyage n'est pas de tout repos pour moi », se dit-il.

— Quoi ? s'écria-t-il en se tournant dans son hamac.

Sans plus attendre, Leonardo fit irruption dans la pièce. Il semblait surexcité.

— Vous me dérangez en pleine sieste ! grogna le jeune Colomb, mécontent.

— Je vous attends sur le pont, lança Leonardo en refermant la porte bruyamment.

« L'inventeur est de plus en plus désagréable », songea le capitaine en sortant maladroitement de son hamac. Il revêtit rapidement une chemise et enfila une paire de chausses propres. Avant de quitter sa cabine, il saisit son long manteau de cuir délavé, suspendu au crochet fixé à la porte. Lorsqu'il sortit enfin sur le pont, Christophe n'en crut pas ses yeux. Un énorme ballon occupait tout l'espace entre le grand mât et le mât d'artimon. Le capitaine conclut, d'après les couleurs de la sphère géante, que son invité s'était permis d'utiliser la vieille voile ainsi que la toile avec laquelle il récoltait l'eau de pluie. Sa toile était maintenant inutilisable ; un vrai gâchis. « L'inventeur se sent décidément chez lui », pensa Christophe, furieux. Il ne savait pas trop ce que tentait de prouver Leonardo, mais ces inventions saugrenues l'agaçaient au plus haut point. En guise de nacelle, Leonardo avait réquisitionné l'unique barque de secours du navire. Une très mauvaise idée, selon Christophe.

Vito se trouvait à l'intérieur de l'embarcation et tournait une grande manivelle qui activait l'hélice au sommet de la structure installée à même la barque. Un peu plus tôt, Leonardo avait rempli le baril métallique de charbon ainsi que de poudre alchimique ayant appartenu à Warress. Lorsqu'il y avait mis le feu, une longue flamme bleutée avait jailli immédiatement du baril. En à peine quelques minutes, le ballon s'était gonflé à son maximum. Le mouvement de l'hélice, au-dessus du brasier, avait pour fonction de répartir rapidement la chaleur à l'intérieur du ballon.

À la grande surprise de Vera, l'invention de Leonardo s'était arrachée du sol. La jeune femme et ses deux amis avaient même dû l'attacher fermement aux rambardes du *Mandeville* pour l'empêcher de s'envoler. Les yeux ronds, Juan n'avait émis aucun commentaire, tandis que Kimchi avait exprimé sa surprise dans sa langue maternelle.

Christophe jeta un œil sévère à la barque modifiée. Il s'agissait de l'*Aglaé*, l'unique survivante de l'attaque des pirates. Étrangement, celle-ci ne touchait pas le sol, remarqua-t-il, étonné. Vera, assise sur l'une des rambardes du pont, semblait tout aussi ébahie.

— Qu'est-ce que vous faites encore ? interrogea le capitaine en regardant Leonardo.

L'inventeur monta à bord de l'appareil et prit la place de Vito. L'ancien maraudeur sauta de la petite embarcation et se rendit près du gaillard d'arrière pour y prendre une hache.

Tout en tournant la manivelle avec énergie, Leonardo s'adressa à Christophe :

— C'est le temps de monter à bord, capitaine. Surtout, n'oubliez pas votre longue-vue.

Christophe sortit de la poche de sa chemise la longue-vue qui ne le quittait jamais. Après une courte hésitation, il monta à bord de l'engin à contrecœur. Armé de sa hache, Vito se dirigea vers la rambarde en affichant un grand sourire.

— Bon voyage ! cria-t-il en sectionnant la première corde.

La barque s'éleva aussitôt d'un mètre. Christophe s'agrippa fermement à l'embarcation. Son regard trahissait une inquiétude grandissante, au grand amusement de l'équipage. Le garçon roux fit le tour de l'aérostat et trancha la seconde corde. Le ballon fut libéré et s'envola vers le ciel dégagé. Une seule corde était encore reliée au ballon ; elle était solidement attachée à la base du grand mât. Cette longue corde avait pour but de simplifier le retour de l'appareil sur le pont.

— Sacré Leonardo ! souffla Vito, le regard plein d'admiration.

Tous les passagers du *Mandeville* avaient les yeux braqués sur le ciel. Pour les deux amis de l'inventeur, il s'agissait d'un moment fort en émotion. Leonardo avait réalisé l'un de ses plus grands rêves : il avait enfin réussi à voler !

Sandro avait passé tout l'avant-midi à sculpter la figure de proue. Elle était presque achevée. Le buste magnifiquement réalisé représentait la muse du peintre. Les traits de Vera avaient été reproduits à la perfection. Un véritable prodige étant donné que Sandro avait travaillé uniquement de mémoire. En plus, sa lourde cuirasse et son gorgerin ne lui avaient pas facilité la tâche. Malgré tout, il avait accompli son œuvre avec brio. La belle chevelure de sa Béatrice semblait agitée par la brise. L'artiste avait mis des heures à réaliser cette coiffure de bois dont il était particulièrement fier. Le plus difficile avait été de tout calculer pour s'assurer que la pièce se fixerait correctement sous le mât de beaupré du navire.

Sandro déposa ses outils et contempla son œuvre avec satisfaction. Il était exténué et n'avait presque pas mangé pendant qu'il travaillait. Son seul repas avait consisté en une tranche de vieux pain moisi accompagnée d'un verre d'eau douteuse. La vie à l'atelier lui manquait affreusement, mais Vera lui manquait encore davantage. Il espérait tant la revoir un jour. Il se sentait comme Dante, perdu dans une forêt obscure, éloigné de sa Béatrice sans aucun espoir de la revoir un jour.

— Tu fais du travail bâclé! s'exclama Charon en s'approchant.

Sandro regarda la brute. Au passage, celle-ci frappa l'un des travailleurs de sa rame en or. Le prisonnier s'effondra sous le regard indifférent des autres pirates qui montaient la garde.

— Tu m'as placé dans une bien ennuyeuse situation avec le capitaine, affirma Charon, qui s'était arrêté devant l'étudiant de l'atelier Verrocchio.

— J'en suis désolé, déclara Botticelli en pesant ses mots.

Charon était un monstre instable, et Sandro savait très bien qu'il ne devait en aucun cas le contredire.

— J'ai bien envie de jeter cette sculpture ignoble par-dessus bord, déclara le pirate froidement. Je dirais simplement au capitaine que tu n'as pas voulu travailler. Il accepterait peut-être que je te fende la tête en deux.

À quelques mètres de là, Minos montait les escaliers menant vers le gaillard d'avant. Il salua rapidement quelques pirates avant de rejoindre Charon et son prisonnier. Ce dernier se dit que le technicien arrivait au bon moment.

— Le capitaine veut voir Botticelli, lança l'homme de science du *Léviathan*.

Charon se tourna vers le nouveau venu et frappa le plancher de sa rame.

— Tu es une sacrée brute, déclara Minos d'un ton moqueur. Comme tu me terrorises, mon cher!

— Minos, un jour je vais te broyer comme une noix! affirma Charon avec un air sadique.

Minos reporta son attention sur Botticelli.

— Si vous voulez bien me suivre, dit-il en désignant l'escalier.

Sandro et le scientifique s'éloignèrent de Charon sans lui prêter attention.

— Je t'aurai, Minos, souffla le gardien, assez fort pour que le technicien l'entende.

Minos et Sandro se rendirent jusqu'à l'une des écoutilles du pont. Après avoir descendu trois étages, le duo se retrouva dans la salle des machines.

— Où est le capitaine? interrogea Sandro légèrement inquiet.

Minos explora prudemment la pièce des yeux. Pour l'instant, aucun pirate ne travaillait au ravitaillement de la chaudière. Puisqu'il y avait un bon vent cet après-midi-là, le capitaine avait fait déployer les voiles. La salle était donc inoccupée, mais cela ne durerait pas très longtemps.

— Il n'est pas là, répondit Minos, l'air très sérieux. J'avais besoin de vous parler en privé, Botticelli.

Sandro afficha un air étonné. Minos porta une main à son casque et appuya fermement sur l'une de ses oreilles en fer. Celle-ci s'enfonça de quelques centimètres en émettant un bruit mécanique. Aussitôt, le masque inexpressif du scientifique se divisa en trois parties avant de se rétracter vers l'arrière. Sandro fut surpris en découvrant le visage de Minos. Le garçon n'était guère plus âgé que lui. Ses cheveux noirs étaient assez courts, à l'exception d'un long toupet qui lui masquait légèrement les yeux. Son teint était très pâle. De plus, son visage ne possédait pas les traits communs aux Italiens. Le peintre se demanda de quelle nationalité était l'adolescent.

— Pourquoi vouliez-vous me parler? interrogea Sandro en dévisageant le jeune homme.

— Ce soir, j'ai l'intention de fuir ce navire de malheur, dit Minos à voix basse. Je veux vous inviter à vous joindre à moi, car votre place n'est pas ici.

Sandro ne savait trop quoi répondre. Peut-être s'agissait-il d'un coup tordu de Lucifiore pour le tester? Il lui était impossible de le savoir. De plus, l'artiste ne comprenait pas pourquoi Minos voulait lui venir en aide. Après tout, ils ne se connaissaient pas vraiment. Il décida de faire tout de même confiance au garçon. C'était peut-être son unique chance de quitter le monstre de bois.

— Qui êtes-vous? interrogea Sandro.

— Comme vous, je suis quelqu'un qui n'est pas à sa place ici.

Cette réponse était pour le moins énigmatique, mais le peintre devrait s'en contenter.

— Ce soir, Charon vous enfermera sûrement dans la cellule de l'alchimiste, reprit le garçon en armure. Tenez-vous prêt, je viendrai vous chercher. Nous volerons une des barques. Avec un peu de chance, nous parviendrons peut-être à atteindre la côte africaine.

Le plan de Minos semblait élémentaire, mais c'était la seule option.

— Je vous suivrai, certifia Sandro en serrant la main du scientifique. Cependant, vous aurez sûrement de la difficulté à descendre jusqu'au neuvième cercle sans attirer l'attention des gardes.

— Ne vous inquiétez pas, dit Minos avec un sourire fatigué, j'ai tout organisé.

Quand le technicien appuya sur son casque, son visage métallique sans expression se replaça comme par magie. « Minos est terriblement en avance sur son temps », songea le peintre. Le mystère entourait ce garçon. Une chose était sûre : lui et Leonardo s'entendraient à merveille.

— Retournons sur le gaillard d'avant avant que l'on parte à notre recherche ! s'exclama Minos.

La barque volante s'était envolée à une hauteur vertigineuse, ce qui avait causé un grand inconfort au capitaine. Les passagers apercevaient même la courbe terrestre, une vision pour le moins impressionnante. Leonardo jeta un coup d'œil en bas : le *Mandeville* avait l'apparence d'un petit jouet. C'était à en donner le vertige.

— Vous êtes vraiment tordu, Leonardo, déclara Christophe en regardant en direction de son navire.

— C'est ce que mon père me dit tout le temps, répliqua l'inventeur, amusé.

Il cessa de tourner la manivelle un instant. Le ballon était suffisamment chaud ; après tout, il ne fallait pas non plus enflammer la toile. Le résultat serait catastrophique pour les passagers de l'aérostat. Après un petit moment d'adaptation, Christophe commença à scruter la mer, armé de sa longue-vue. Il devait avouer que ce ballon était utile. Juan adorerait sûrement l'utiliser dans le cadre de sa profession de cartographe. C'était incroyable, il parvenait même à apercevoir le volcan de l'île d'Alegranza, pourtant situé à plus de trois cents kilomètres. Certes, le ciel dégagé y était pour quelque chose, mais c'était tout de même incroyable.

La température était beaucoup plus froide en altitude. Leonardo frissonnait sous son mince pourpoint de cuir et son ample chemise beige. Pour sa part, le jeune Colomb semblait parfaitement à son aise. Il était vêtu plus chaudement, avec son long manteau en cuir.

— J'aperçois quelques caravelles au sud, signala Christophe. Elles appartiennent probablement à des Espagnols.

Leonardo parcourut lui aussi l'horizon des yeux. La barque volante était encerclée par une impressionnante étendue bleue. La côte africaine était visible à l'est.

— Pouvez-vous diriger votre lunette vers le sud-est ? demanda Leonardo.

Il venait d'apercevoir un navire, encore minuscule, à l'horizon. Celui-ci possédait deux gaillards surélevés ; il s'agissait donc d'une caraque. Christophe tourna sa lunette vers l'endroit indiqué. Il resta silencieux un moment. Une certaine contrariété se lisait sur son visage.

— Que voyez-vous ? interrogea Leonardo, le cœur plein d'espérance.

— Il s'agit du *Léviathan*, annonça Christophe après une hésitation.

Leonardo bondit de joie, faisant ainsi ballotter dangereusement la barque volante.

— Alors, nous pourrons aller à la rescousse de Sandro Botticelli ? s'exclama l'inventeur.

— Je ne crois pas, répondit Christophe d'une voix neutre. Le port d'Agadir est juste devant nous. Malheureusement pour vous, nous sommes arrivés à bon port.

Leonardo fixa d'un regard dur le capitaine.

— Vous plaisantez, j'espère ? s'indigna-t-il.

— J'ai bien peur que non, répliqua Christophe. Après le ravitaillement du *Mandeville*, nous en reparlerons.

Il replia sa longue-vue et la replaça à l'intérieur de sa poche de chemise.

— Croyez-moi, j'ai autant envie de sauver Sandro que vous, reprit-il, mais nous n'y arriverions pas.

— Je ne crois pas un seul mot de ce que vous dites, rétorqua Leonardo froidement.

Il prit un couvercle de fer et en couvrit le baril pour éteindre la flamme. Privé de chaleur, le ballon allait graduellement perdre de l'altitude et il reviendrait à bord de la caravelle.

— Alors nous n'avons plus rien à nous dire, trancha Christophe.

Sandro était de retour dans la cellule qu'il partageait avec Warress. C'était ce soir que l'évasion aurait lieu. Avec un peu de chance, il serait bientôt loin de cet horrible endroit. De l'autre côté de la pièce, l'alchimiste se contentait de le regarder en souriant. Savait-il quelque chose à propos de son projet ? C'était impossible, mais malgré tout Sandro était nerveux.

— Ainsi, ce n'est pas un soir comme les autres, déclara doucement Warress.

L'ancien professeur était fermement attaché contre le mur du fond. Ses yeux scintillaient d'une méchanceté à peine dissimulée. Même si l'alchimiste ne lui avait jamais rien fait, Sandro le craignait bien plus que tous les pirates à bord du *Léviathan*. Le mal habitait Warress. Celui-ci était le genre de monstre auquel il ne fallait pas tourner le dos, car il profitait de la moindre occasion pour bondir sur sa proie.

— Je ne sais pas de quoi vous parlez, répliqua le peintre.

L'homme défiguré afficha son sourire le plus malsain, exhibant une dentition jaunâtre.

— Je vois, souffla-t-il. C'est ce soir que ça se passe.

Décidément, on ne pouvait rien cacher au chef de la confrérie de la Table d'émeraude.

Le *Mandeville* était arrivé au port d'Agadir quelques heures plus tôt. Une atmosphère glaciale s'était abattue sur le navire lorsque la barque volante avait regagné le pont. Le capitaine s'était fait bien peu d'amis en déclarant qu'il ne se lancerait pas à la poursuite du *Léviathan*, malgré sa promesse. Il s'était montré mauvais joueur en déclarant que, puisque le port était en vue, Leonardo avait perdu son défi. Kimchi aussi avait semblé déçu de la décision du capitaine. Même estropié, le Coréen aurait voulu prendre sa revanche contre les pirates et sauver le peintre.

Leonardo, Vera et Vito se trouvaient sur le pont. Christophe et Juan venaient tout juste de quitter le voilier ; les deux partenaires étaient partis en ville. Ils espéraient trouver quelques marchands avec qui ils pourraient faire des affaires. Le cartographe ne paraissait pas content lorsqu'il avait quitté le navire. Comme il l'avait fait remarquer, Agadir n'était pas le meilleur endroit pour conclure de bonnes affaires. Avant de partir, Christophe avait ordonné à Kimchi de surveiller attentivement Leonardo. Le capitaine craignait que l'inventeur tente quelque chose.

Vera administra un puissant coup de pied à la rambarde.

— C'est frustrant d'être si près du *Léviathan* et de ne pouvoir rien faire ! cria-t-elle, hors d'elle.

Leonardo était adossé à la barque volante, dont le ballon était maintenant dégonflé. Ses yeux étaient rivés sur le navire voisin. Cette caravelle assez semblable au *Mandeville* possédait plusieurs petits canons à main, fixés sur les rampes. Pour l'instant, l'embarcation semblait déserte. Ses propriétaires devaient être en ville.

— C'est maintenant qu'il faut leur tomber dessus ! s'exclama Vito en frappant son poing dans sa paume.

— Tomber… répéta pensivement Leonardo.

Il écarquilla les yeux. Une idée de génie venait de lui traverser l'esprit. Il jeta un œil vers le nid-de-pie où se trouvait Kimchi. Le Coréen le dévisageait en silence. Après un instant, le vieil homme afficha un sourire complice et dit :

— Peu importe votre plan, je veux en faire partie !

19
L'art de la guerre

Cela prit plus d'une heure avant que Sandro entende enfin quelqu'un s'activer à ouvrir les cadenas de la porte de la cellule. « Il ne peut s'agir que de Minos », songea-t-il, rassuré, car la personne éprouvait certaines difficultés à venir à bout des serrures. Charon, lui, aurait ouvert depuis longtemps.

Quand la porte s'ouvrit enfin, le technicien apparut sur le seuil.

— Dépêchons-nous, dit-il en s'approchant de Sandro. Charon va entreprendre sa ronde très bientôt.

Botticelli se leva maladroitement. Son armure lui semblait plus lourde que d'habitude.

— Tournez-vous, chuchota Minos. Je vais vous enlever votre cuirasse.

Le scientifique brandit l'arme qu'il portait au poignet en direction du cadenas fixé à l'arrière du gorgerin. Une lumière vive éclaira la pièce quelques instants, puis le verrou tomba sur le sol, sectionné en deux.

— Est-ce que vous me détachez aussi? interrogea Warress en affichant un sourire malfaisant.

Minos ne répondit pas, car l'alchimiste ne méritait aucune attention.

Sandro ressentit un immense soulagement lorsque sa lourde cuirasse se détacha. Après un bain, il redeviendrait le bon vieux Sandro qu'il avait jadis été. Mais pour l'instant, il se sentait affreusement crasseux.

— Vite, partons ! ordonna le scientifique en quittant la pièce.

Le peintre fut surpris quand il vit le chemin que lui et son compagnon emprunteraient. En effet, Minos avait percé un trou parfaitement rond à travers le mur d'étanchéité qui séparait les prisons de la salle des machines. Botticelli se demandait comment son sauveur s'y était pris pour accomplir un travail aussi parfait, car le mur était très épais. Warress observa les deux garçons quitter la pièce et refermer la porte derrière eux. Il porta ensuite son regard sur un objet au sol. Lorsque Sandro avait enlevé sa cuirasse, un ciseau à bois s'en était échappé. La chance était avec l'alchimiste, car l'arme avait atterri près de ses pieds.

Les fugitifs traversèrent la salle des machines. La chaleur y était dangereusement suffocante.

— J'ai poussé les machines à fond ! cria Minos pour s'assurer que le peintre l'entende. Je vais lancer le *Léviathan* contre la côte africaine.

— Bonne idée, approuva Sandro. La mer se portera mieux sans lui.

Il espérait que les prisonniers à bord réussiraient tous à s'échapper.

— Absolument ! clama Minos en s'engageant sur l'échelle qui menait vers la salle d'équipage.

Les deux complices jaillirent silencieusement de la trappe. Minos referma celle-ci aussitôt. À première vue, l'arrivée des fuyards n'avait réveillé personne. Des centaines de hamacs meublaient la pièce. Comme d'habitude, les pirates en armure étaient exténués car les corvées étaient extrêmement exigeantes à bord du *Léviathan*. Lorsque les hommes s'allongeaient dans leur hamac, ils sombraient aussitôt dans un profond sommeil. Heureusement, d'ailleurs, car dans la situation actuelle cela facilitait les choses pour Minos et Sandro. Ces derniers traversèrent la pièce en contournant plusieurs hamacs. Après quelques minutes particulièrement angoissantes, ils purent enfin monter à l'étage suivant. À ce niveau, plusieurs pirates s'affairaient à la cuisine. Toutefois, ils étaient tous bien trop occupés pour remarquer les deux garçons dans la pièce voisine. Minos et Sandro s'engagèrent rapidement dans l'escalier menant au pont. Le pire était-il passé ? L'avenir le dirait.

On avait suspendu le ballon, et le baril de fer était en flammes. Vito était monté à bord de la barque volante et tournait la manivelle avec énergie. Leonardo avait dosé le contenu du baril de façon à ce que le ballon se remplisse d'air chaud rapidement. Le plan de l'inventeur était fort simple : ses amis et lui iraient à la rescousse de Sandro à bord de l'aérostat. Ils pourraient ainsi s'approcher du *Léviathan* en restant hors de portée des canons. Avant de se lancer dans une telle opération, Leonardo avait bien entendu songé à l'armement.

Il avait demandé à Vito de trouver des canons pareils à ceux du navire d'à côté. L'ancien maraudeur ne s'était pas trop compliqué la vie: il avait dépouillé simplement la caravelle voisine de ses armes. Vito étant un voleur des plus généreux, il avait laissé une coquette somme d'argent dans la cabine du capitaine de ce navire, à laquelle il avait joint un mot d'excuse: *Désolé pour vos canons. Ces pièces d'or vous permettront d'en acheter de plus beaux.*

Leonardo et ses compagnons avaient ensuite armé la barque de quatre canons légers. Vera s'affairait à fixer le dernier à l'avant de l'engin volant. Kimchi avait chargé une douzaine de pistolets qu'il avait ensuite répartis équitablement. Chacun portait donc trois pistolets à sa ceinture. Les attaquants ne manqueraient pas d'armes car, en plus des canons et des pistolets, Leonardo avait confectionné quelques cocktails explosifs dans des bouteilles en terre cuite. Il avait aussi dû concevoir une commande directionnelle pour le ballon. Il avait donc fabriqué une deuxième hélice, en bois cette fois, qu'il avait installée à l'arrière de la petite embarcation. L'hélice était manœuvrable de droite à gauche, ce qui permettrait au ballon de se mouvoir en toute liberté.

Lorsque le ballon fut gonflé, Kimchi escalada le grand mât et détacha les cordes qui le maintenaient. Quelques secondes plus tard, les quatre passagers s'installèrent à bord de la barque. Après quelques minutes, Leonardo jeta un œil inquiet sur le ballon. L'embarcation aurait déjà dû s'envoler.

— Nous avons un problème, déclara le jeune inventeur. Nous sommes trop lourds. C'est probablement la faute des canons. J'aurais dû y penser avant.

— Nous pourrions en enlever deux, proposa Vito qui tournait toujours la manivelle.

— Pas question ! répliqua Kimchi en sautant de l'embarcation.

La barque volante se détacha aussitôt du pont.

— Vous aurez besoin de tous les canons pour combattre, reprit le Coréen. Par contre, un vieillard comme moi ne vous sera d'aucune utilité.

Ce n'était pas vrai, car le marin avait déjà maintes fois prouvé sa valeur. Toutefois, la solution qu'il proposait était sûrement la meilleure.

— Ramenez l'artiste, ajouta-t-il en souriant aux trois passagers.

— Nous ferons de notre mieux, promit Leonardo pendant que la barque s'élevait dans la nuit sombre.

Maintenant, il ne restait plus qu'à retrouver le monstre de bois et à l'attaquer.

Minos et Sandro montèrent sur le pont. À première vue, tout semblait tranquille. Il y avait des pirates aux postes de garde, mais ils étaient occupés à scruter le large. Par chance, la nuit était sombre et les quelques lampes suspendues n'éclairaient que très partiellement le pont. Minos appuya sur son casque. Celui-ci se divisa avant de se replier vers l'arrière.

— Subtilisons l'une des barques, chuchota le scientifique.

Les embarcations de secours se trouvaient à côté du grand mât. Les deux adolescents passèrent lentement près du Gosier de l'enfer. Une épaisse fumée brûlante en jaillissait. Minos désigna du doigt l'une des barques. Sandro lui fit signe qu'il avait compris le message. Les fuyards rampèrent entre les coffres de bois dans lesquels étaient entreposés les toiles ainsi que les cordages. Ils se figèrent en entendant un cri en provenance du grand mât. En regardant vers le ciel, Sandro comprit qu'il ne s'agissait que d'un pirate riant de la blague de l'un de ses confrères. Après plusieurs minutes pénibles passées à ramper, les jeunes hommes arrivèrent enfin près de la barque. Ils prirent chacun une extrémité de l'embarcation et se déplacèrent vers la rambarde du pont. « La barque est lourde, mais c'est le poids de la liberté », songea Sandro en déplaçant la masse de bois dans un effort surhumain. Sans plus attendre, son compagnon et lui lancèrent l'embarcation par-dessus bord. Sandro observa avec frayeur celle-ci effectuer son plongeon vers la mer, car il craignait que le bruit éveille les soupçons. Mais le son ressembla à celui d'une vague venant se fracasser contre le navire. Les pirates ne se rendirent donc compte de rien.

— Allons-y, souffla Minos en se préparant à bondir.

— Pas si vite ! s'exclama une voix métallique dans le dos des fugitifs.

Sandro pivota sur lui-même. Lucifiore n'était qu'à quelques mètres et pointait sur lui et Minos deux pistolets d'or. Ce dernier aurait pu tourner son arme contre le capitaine, mais l'attaque était trop risquée. De plus, l'armure du chef d'équipage était trop épaisse pour que l'arme du scientifique s'avère efficace.

— Minos, vous me décevez beaucoup, déclara le capitaine. Vous étiez l'une de mes plus grandes fiertés.

Le bruit du métal qui s'entrechoque se fit entendre de part et d'autre du navire. Rapidement, Minos et Sandro furent encerclés de pirates en armure. Le capitaine masqué vociféra :

— Vous payerez votre traîtrise de vos vies !

Puis il fit signe à ses hommes de s'emparer des fuyards.

Lorsque Charon découvrit l'énorme trou dans le mur d'étanchéité, il laissa échapper un grognement animal. D'un seul coup de pied, il arracha la porte de la cellule. À l'intérieur, il n'y avait que Warress. Celui-ci était encore enchaîné, mais il paraissait inconscient. Sa toge crasseuse était maculée d'une large tache de sang au niveau du torse. Charon en vint rapidement à la conclusion que Sandro avait tué l'alchimiste avant de fuir les lieux. « Il ne perd rien pour attendre, ce petit artiste mondain », songea-t-il en s'approchant de l'homme. L'odeur du prisonnier était intolérable. S'il n'était pas déjà mort, Charon l'aurait tué volontiers.

Le pirate déposa sa rame en or contre le mur, puis il déchira la chemise du détenu avec violence. Il constata avec étonnement que celui-ci n'avait qu'une lésion superficielle sur le torse ; il ne s'agissait en aucun cas d'une blessure mortelle. Warress ouvrit aussitôt les yeux en affichant un large sourire dément. Dans un mouvement beaucoup trop rapide pour que Charon puisse l'éviter, l'alchimiste enfonça le ciseau à bois sous l'aisselle du gardien. Cette partie du corps était l'unique surface sans protection de l'armure de la brute. Le colosse de métal s'écrasa lourdement contre le sol de la cellule. Warress attaqua à nouveau, cette fois derrière le cou de sa victime, entre la cuirasse et le gorgerin.

— Aujourd'hui, c'était le dernier jour du règne de Charon ! s'exclama Warress en se relevant.

L'alchimiste fouilla ensuite rapidement le cadavre à la recherche de clés. Quelques secondes plus tard, l'ennemi juré de Leonardo quitta sa cellule.

Les pirates avaient formé un cercle autour du Gosier de l'enfer, une barrière infranchissable pour les deux prisonniers.

— Enlevez-lui son armure ! s'écria Lucifiore en pointant le technicien. Il n'en est plus digne.

Plusieurs pirates se jetèrent sur Minos. Ils lui arrachèrent son armure de force ; ensuite, ils en projetèrent toutes les pièces par-dessus bord. Le scientifique regardait la scène avec désespoir. Il avait travaillé des semaines pour concevoir chacun des rouages de sa cuirasse.

Le capitaine ordonna de suspendre les prisonniers par les mains au-dessus du Gosier de l'enfer. Ses intentions étaient claires : il voulait les jeter dans la cheminée de fer. Minos le savait très bien, car ce n'était pas la première fois que Lucifiore employait ce moyen. Les adolescents tentèrent de s'échapper, mais leurs efforts furent vains. Ils n'étaient pas de taille contre l'armée de brutes métalliques du *Léviathan*. Malgré tout, Sandro se défendit comme une bête. L'un des pirates le frappa du revers de sa hache. Il s'écroula.

Après que les captifs eurent été suspendus au-dessus du Gosier, le capitaine reprit la parole.

— Une fois que vous êtes monté sur le *Léviathan*, une chose est sûre : vous ne pouvez jamais le quitter.

Il s'approcha des deux garçons et leva un doigt accusateur. La chaleur en provenance du gouffre était intolérable. Sandro était certain que lui et Minos vivaient leurs derniers instants. Les apparences étaient parfois trompeuses, car Sandro avait cru que sous l'épaisse armure du capitaine se cachait un homme bien. Il s'était trompé : Lucifiore était le pire monstre à bord.

— Tous ceux qui tenteront de s'échapper seront punis de mort, continua Lucifiore. Ils seront brûlés dans les flammes du Gosier de l'enfer !

— Je suis désolé, Sandro, murmura Minos. J'ai cru qu'on parviendrait à s'évader.

Sans son armure, le garçon maigrichon semblait misérable.

— L'important, c'est d'avoir essayé, dit Sandro en le regardant.

Ses mains liées lui faisaient un mal de chien. Toutefois, il essayait de se rassurer en songeant que tout cela allait bientôt finir. La chute au fond du Gosier de l'enfer lui serait probablement fatale. C'était du moins ce qu'il espérait. Dans le cas contraire, les pirates le jetteraient sûrement par-dessus bord. Lucifiore poursuivait son sermon sur la fidélité. Il souhaitait faire un exemple avec les deux fuyards.

— Hé, Lucifiore, pourrais-tu te taire un peu? Tu nous agaces avec tes prêches à deux florins.

Sandro savait que ce n'était plus la peine de surveiller ses paroles, alors il comptait bien en profiter. Le capitaine parut embêté durant quelques secondes.

— Faites descendre les prisonniers dans le Gosier! cria-t-il aux pirates qui tenaient les cordes. Qu'ils carbonisent!

Ses hommes obtempérèrent sans discuter. Dans quelques secondes, Minos et Sandro seraient rôtis vivants. C'était une triste fin pour un peintre dont la destinée promettait d'être grandiose. Sandro jeta un œil aux alentours. Des hordes de barbares criaient leur joie devant ce bûcher peu commun. La chaleur devenait insoutenable; Sandro était sur le point de perdre connaissance. C'est alors que d'un seul coup le gaillard d'arrière du *Léviathan* s'embrasa dans une explosion éblouissante. Lucifiore fixa cette vision abominable. Comment ses gardes avaient-ils pu manquer l'arrivée d'un bateau? Et qui était assez fou pour attaquer le *Léviathan*?

— Que se passe-t-il? s'exclama Minos, les yeux levés vers le ciel.

Sandro regarda dans la même direction que son compagnon. Il vit un étrange ballon survoler le navire.

— Ça ne peut être personne d'autre que da Vinci, dit-il avant de perdre connaissance.

Le ballon passa à proximité du grand mât. Vito en profita pour se laisser tomber dans le nid-de-pie où se trouvaient deux pirates. De ses pieds, il propulsa les deux hommes hors du poste de garde. L'un d'eux tomba directement dans le Gosier de l'enfer et l'autre s'écrasa à quelques mètres du capitaine.

— Éteignez ce feu ! beugla Lucifiore.

Il n'avait pas encore compris d'où venait l'attaque. Aucun bateau n'était en vue. Le gaillard d'avant s'enflamma à son tour. Leonardo manœuvrait le ballon de façon à tourner autour du navire, pendant que Vera lançait des cocktails explosifs. Après avoir brisé le cercle autour des condamnés, les pirates s'affairèrent à éteindre les feux. Seuls les hommes qui maintenaient les cordes retenant Minos et Sandro restèrent à leur poste. Ils ne devaient surtout pas laisser tomber les prisonniers avant que le capitaine en donne l'ordre. Le chaos total régnait à bord. Lucifiore aperçut finalement le ballon qui revenait à la charge. Il n'était pas le seul à l'avoir vu, car des pirates tiraient déjà dans sa direction.

Une lame entre les dents, Vito glissa le long de la toile du grand mât avant de sauter d'un cordage à l'autre. Il s'arrêta au-dessus des condamnés. Agissant avec une grande dextérité, l'ancien maraudeur remonta rapidement les prisonniers le plus haut possible. Ensuite, il relia les deux cordes au solide cordage joignant le mât de misaine au grand mât qu'il trancha ensuite avec son couteau. Son opération eut l'effet escompté : Sandro et son compagnon tombèrent sur le pont, à gauche du Gosier de l'enfer. Vito était parvenu à les tirer d'affaire. Il jeta un regard vers le ciel et son sourire satisfait disparut aussitôt. Le ballon de la barque volante était en flammes. Malgré toutes les manœuvres effectuées par Leonardo, l'engin perdait de l'altitude. Les hommes d'équipage du *Léviathan* ainsi que Vito regardaient avec effroi l'énorme boule de feu foncer sur le navire.

— Accroche-toi, Vera, nous allons atterrir ! cria Leonardo qui tournait la manivelle de commande.

La barque piqua vers le pont. Avant qu'elle n'éclate sous l'impact, ses deux passagers s'éjectèrent. Le ballon en flammes s'écrasa contre les toiles du grand mât qui s'embrasèrent aussitôt. Leonardo roula sur lui-même avant de se remettre debout. Il regarda autour de lui. Il n'aurait jamais cru pouvoir faire autant de dommages au *Léviathan* en si peu de temps.

Vito atterrit à quelques mètres de lui en affichant son sourire légendaire.

— Les choses se présentent plutôt bien, affirma-t-il en sortant ses pistolets.

Un peu plus loin, le capitaine s'avançait vers les deux prisonniers inconscients. Lucifiore n'avait pas l'intention de les laisser s'en tirer à si bon compte. Il brandit ses deux pistolets sur eux.

— Je vous l'avais dit : vous ne partirez jamais d'ici ! rugit-il en se préparant à faire feu.

Dès l'instant où Vera mit les pieds sur le pont, elle concentra immédiatement son attention sur le gaillard d'arrière. Des pirates jaillissaient sans cesse des portes qui s'y trouvaient. Elle utilisa rapidement toute ses munitions, ce qui se résuma en fait à trois tirs de pistolet. Elle fit mouche chaque fois. N'ayant plus aucune arme, Vera courut vers les restes de la barque et s'empara des derniers cocktails explosifs. Après les avoir allumés, elle les lança avec succès vers les portes sous le gaillard. « Décidément, la vie en mer n'est pas de tout repos », songea-t-elle.

Vito arriva juste à temps pour assommer un pirate qui s'apprêtait à attaquer la jeune femme de dos. Le premier combat contre le *Léviathan* avait été un bon apprentissage pour Leonardo et ses compagnons : pour maîtriser les monstres métalliques, il fallait viser juste et frapper fort.

— Comment ça va, Vera ? questionna Vito.

Armé d'une lourde hache, il pivota sur lui-même et administra un puissant coup à un autre bandit. Le pirate recula puis tomba par-dessus bord. Le pont devenait un endroit dangereux, car de gros morceaux de toiles enflammées y tombaient. Pour l'instant, Vera et Vito parvenaient à les éviter sans trop de difficulté.

— Plutôt bien ! répondit la jeune femme en évitant un coup de hache. La soirée est mouvementée, mais sinon tout va pour le mieux.

Tout juste avant que Lucifiore ne fasse feu sur Minos et Sandro, la rame d'or s'abattit sur lui. Les deux projectiles s'enfoncèrent dans le bois à quelques centimètres à peine des prisonniers. Sandro reprit conscience en entendant les déflagrations. Il vit devant lui Warress qui brandissait la rame de Charon. Cela prouvait qu'il s'était débarrassé du maître des neuf cercles. L'alchimiste abattit une fois de plus l'arme sur le capitaine. Lucifiore s'écroula dans une cacophonie de métal froissé. Les yeux de l'assaillant brillaient d'une rage terrifiante. Sandro était épouvanté par le spectacle : Warress ruait de coups son adversaire avec une grande férocité.

Minos revint à lui à son tour. Il s'étonna du champ de bataille qu'était devenu le *Léviathan*. Les flammes qui montaient des deux gaillards devaient être visibles à des kilomètres. Lorsque Warress en eut fini avec Lucifiore, il se tourna vers les deux garçons. Sandro et Minos se levèrent, prêts à se défendre malgré leurs mains liées. Personne ne semblait faire attention à eux ; l'heure était trop grave. Des pirates avaient même profité de la confusion générale pour fuir les lieux ; plusieurs barques s'éloignaient dans la nuit sombre.

— Maintenant, c'est à votre tour ! hurla Warress en fonçant sur les adolescents.

À ce moment, le *Léviathan* fut violemment secoué. Le choc fut si fort que l'alchimiste en perdit pied.

— Nous venons de frapper le bas-fond ! indiqua Minos.

Warress tentait péniblement de se redresser lorsqu'une épée se posa sur sa gorge.

— Faites-moi le plaisir de bouger, jeta Leonardo d'une voix menaçante, et je vous tranche la gorge.

Warress s'immobilisa dans un grognement. Il savait que son ancien élève n'hésiterait pas à mettre sa menace à exécution.

— Sandro, prends-lui son arme, demanda l'inventeur sans quitter des yeux son ennemi.

Le peintre arracha la rame d'or des mains de Ferrazini, puis il lui en donna un coup sur la tête. L'alchimiste s'écrasa face contre terre en émettant un bref gémissement. Le geste de Sandro surprit Leonardo, mais il s'agissait probablement de la meilleure chose à faire.

— Da Vinci, ta petite opération de sauvetage est vraiment mal organisée, dit Sandro avec un sourire. Une vraie belle bande d'amateurs, mais malgré tout je te remercie !

Minos jeta un regard perplexe à Botticelli. Décidément, Sandro retrouvait vite ses esprits. Autour d'eux, le *Léviathan* était la proie des flammes. Le navire ne s'en remettrait certainement pas. Vito s'approcha des deux prisonniers et les détacha. Vera les rejoignit quelques secondes plus tard. Les derniers pirates avaient abandonné le navire après avoir subi la furie de la jeune femme. Ce combat avait permis à Vera de découvrir qu'elle avait l'étoffe d'une guerrière. Sandro et elle échangèrent un regard qui en disait long, rempli d'amour et de soulagement. Leonardo ne parvenait toujours pas à croire qu'il avait mis hors d'état de nuire le géant des mers. Son savoir s'était montré une fois de plus très utile.

— Mes amis, dit Sandro, je vous présente Minos. Il m'a été d'un grand secours ces derniers temps.

— En fait, vous pouvez m'appeler Nikola, déclara le jeune homme. Minos est le nom que le capitaine m'avait donné.

— Je suis enchanté de faire votre connaissance, déclara Leonardo en serrant la main du garçon.

L'incendie ne semblait pas sur le point de s'étouffer. Par malheur, il n'y avait plus une seule barque sur le bateau. Leonardo et ses compagnons devaient porter secours aux nombreux prisonniers à bord. À première vue, les choses ne se présentaient pas très bien.

— Hé ! cria une voix au loin.

Tous tournèrent un regard inquiet vers la mer. À ce moment, le *Mandeville* jaillit de l'obscurité. Christophe se tenait sur le mât de beaupré et affichait un sourire contraint.

— Vous êtes une vraie bande de déments ! s'exclama-t-il. Cependant, contre toute attente, vous avez atteint votre but. Mille excuses, mon cher Leonardo. Je vous lève mon chapeau !

Le *Mandeville* s'approcha du pont du *Léviathan*. Kimchi lança des cordages que Vito saisit.

— Allons sauver les prisonniers, déclara Sandro. Mais avant, je dois faire quelque chose de beaucoup plus important.

Le peintre rejoignit Vera. La jeune femme le fixa, ne sachant trop à quoi s'attendre. Sandro la saisit doucement par la taille, posa une main contre sa joue droite et l'embrassa longuement. Tous observèrent la scène sans rien dire. L'inventeur ne put s'empêcher de sourire. Ce bon vieux Botticelli était enfin passé à l'action, et ce, au grand bonheur de la jeune femme, visiblement.

Mais la scène commençait à s'éterniser, au goût de l'ancien maraudeur.

— Nous allons les sauver, ces prisonniers ? lança-t-il.

20
Le retour

Le sauvetage de Botticelli datait de plusieurs jours. Le *Mandeville* avait dû faire de nombreux voyages pour ramener tous les prisonniers sur la terre ferme. Certains d'entre eux étaient encore dans un triste état, mais le temps arrangerait sûrement les choses. Après avoir longuement discuté avec Leonardo, Christophe avait décidé d'interrompre le voyage. Le plus urgent était de ramener Warress Ferrazini à Florence. Laurent de Médicis allait sûrement offrir une généreuse somme à l'homme qui lui livrerait l'alchimiste. Le voyage vers la Chine devrait donc être remis à plus tard. De toute façon, le *Mandeville* n'était plus dans un état qui lui permettait de voyager. En fait, la vieille caravelle avait suffisamment navigué; ce voyage de retour serait sa dernière aventure. Dans quelques jours, le *Mandeville* repasserait le détroit de Gibraltar. Personne à bord n'était triste de revenir en Italie.

Christophe était à la barre. Le cœur tranquille, il respirait à pleins poumons l'air du large. Juan, encore coiffé de son bonnet rouge, monta sur le pont. Le cartographe s'approcha de son ami de longue date.

— Alors, commença-t-il en souriant, qu'est-ce qui va nous arriver maintenant?

La question posée par Juan méritait réflexion, d'après Christophe. L'équipage du *Mandeville* avait été décimé dernièrement. De plus, le ravitaillement à Agadir avait été ruineux. La carrière de navigateur indépendant était bel et bien terminée pour Juan et lui. La situation était désespérée, mais comme le disait si bien le dicton : « À situation désespérée, mesure désespérée. »

— Il ne nous reste qu'une seule option, mon cher ami, déclara Christophe en souriant.

— Laquelle ? s'enquit Juan, perplexe.

— Nous allons nous engager dans la marine. Nous n'aurons peut-être plus autant de liberté, mais au moins nous naviguerons aux frais du pays.

— Cher Christophe, ce n'est pas une si mauvaise idée !

Pendant que Sandro et Vera passaient d'agréables moments à l'avant du *Mandeville*, Leonardo se trouvait au plus profond du navire. Warress avait été attaché dans la cale ; ainsi, il ne risquait pas de s'enfuir. C'est sans surprise que l'homme défiguré avait découvert sur le *Léviathan* que Leonardo n'était pas mort. Il n'avait jamais cru les propos de Sandro Botticelli.

— Alors, dit l'inventeur en regardant l'alchimiste tapi dans l'ombre, qu'est-ce que ça vous fait de passer d'une prison à une autre ? Je doute que vous serez mieux accueilli à Florence.

Warress leva les yeux vers son ancien élève et afficha un sourire amusé.

— Mon cher Leonardo, vous n'avez encore rien compris, souffla-t-il d'une voix sombre. En me ramenant à Florence, vous ne ferez que simplifier ma libération. Laurent de Médicis et bien d'autres souhaitent sans doute me voir sur un bûcher, mais cela n'arrivera jamais. Grâce à mes contacts, je serai libéré très rapidement.

— J'en doute, répliqua Leonardo avec une assurance feinte.

— Vous devriez me tuer maintenant. À notre arrivée en Italie, il sera trop tard et vous regretterez de ne pas l'avoir fait.

Warress savait fort bien que Leonardo da Vinci n'en serait pas capable.

— Vous devrez vous joindre à nous, sinon vos amis en paieront le prix. Par exemple, j'imagine que vous n'avez pas envie de voir cette belle Vera mourir sous vos yeux.

Leonardo ne broncha pas. Il avait lui aussi une carte à jouer.

— Warress, je suis monté à bord de l'*Émeraude*. J'ai trouvé vos notes.

Il s'approcha de l'alchimiste pour mieux sonder son regard.

— Je sais tout en ce qui concerne votre opération « Machines de fin du monde ».

Cette phrase eut l'effet d'une bombe. Warress lança un regard furieux à l'inventeur. Il aurait sûrement tué son ancien élève sans hésiter s'il l'avait pu. Malheureusement pour lui, ce n'était pas le cas.

Les nouveaux amoureux étaient assis sur la rambarde près du mât de beaupré, à l'abri des regards.

— Ma décision est prise, dit Sandro en regardant dans les yeux la jeune femme qu'il aimait. Je vais quitter l'atelier d'Andrea Verrocchio. Ce voyage m'a convaincu : je suis prêt à faire le saut. J'ai besoin d'indépendance, et Verrocchio m'empêche d'avancer. Toutefois, je pourrai lui offrir mon aide de temps à autre.

— J'ai confiance en toi, Sandro, affirma Vera avec un sourire tendre.

Sandro se leva. Son visage reflétait un bien-être indéniable.

— Je veux mon propre atelier, dit-il. Plus important encore, je veux partager ma vie avec toi. Tu es ma muse et je veux toujours être à tes côtés !

Vera ne put s'empêcher de rougir. Le Sandro qui était revenu du *Léviathan* n'était plus le même. C'était un jeune homme plus fort et plus confiant. L'avenir semblait prometteur pour les jeunes amoureux. Serait-il à la hauteur de leurs espérances ?

— Dis-moi, Nikola, entreprit Vito d'un ton enjoué, as-tu de la famille en Italie ?

Les deux garçons observaient la mer du haut du nid-de-pie en compagnie de Kimchi. Le vieux Coréen effectuait son tour de garde.

— Non, répondit le garçon. Je n'ai de famille nulle part.

— Bienvenue dans le club ! lança l'ancien maraudeur. Que comptes-tu faire maintenant ?

— Je n'en ai pas la moindre idée, avoua le scientifique.

Malgré toute la préparation entourant son évasion, Nikola n'avait jamais songé une seule seconde à ce qu'il ferait par la suite. Il avait passé plus de trois ans à bord du navire pirate.

— Sandro m'a appris que tu étais doué pour concevoir des machines, dit Vito. Florence est une ville en pleine évolution ; les inventeurs comme toi et Leonardo y sont indispensables. Bref, tu pourrais facilement y vivre de ta passion pour la science.

— Peut-être bien, dit Nikola en arborant un sourire énigmatique.

Les deux garçons continuèrent à contempler la mer qui se dressait à l'horizon. Un bon vent permettait au *Mandeville* de poursuivre sa route. Bientôt, ses passagers seraient de retour à Florence.

Achevé d'imprimer
en juillet 2011 sur les presses de
Transcontinental Gagné

Imprimé au Canada — Printed in Canada